« PRÉSIDENT, LA NUIT VIENT DE TOMBER »

du même auteur

AZF – Une affaire au sommet de l'État, Éditions du Rocher, 2013.
La Chute des idoles, Michalon, 2015.

ARNAUD ARDOIN

« PRÉSIDENT, LA NUIT VIENT DE TOMBER »

Le mystère Jacques Chirac

COLLECTION **DOCUMENTS**

cherche
midi

Vous pouvez consulter notre catalogue général
et l'annonce de nos prochaines parutions sur notre site :
www.cherche-midi.com

Direction éditoriale : Ariane Molkhou

© le cherche midi, 2017
30, place d'Italie
75013 Paris

Mis en pages par Soft Office – Eybens (38)
Dépôt légal : octobre 2017
ISBN 978-2-7491-5018-5

Mardi 18 juillet 2017, dans son appartement
du 9ᵉ arrondissement de Paris, « la nuit » de Daniel
est définitivement tombée. Ce livre lui est dédié.
Un hommage à cet homme de l'ombre qui a consacré
une grande partie de sa vie à Jacques Chirac.
Le président, comme il l'appelait, fut à la fois son idole,
un frère d'armes dont il saisissait la subtilité des silences.
Un homme auquel Daniel vouait un amour
et un respect sans bornes.
Au crépuscule de la vie de Jacques Chirac,
il fut un compagnon méticuleux, cherchant inlassablement
à lui transmettre cette énergie vitale, capable
de lui redonner la force de se battre et d'affronter
le temps qui passe, inexorablement...

SOMMAIRE

1

VIVRE POUR MIEUX
BRÛLER L'ENNUI

Mieux vaut la fin d'une chose que son commencement,
mieux vaut patience que superbe.

L'Ecclésiaste

Paris – octobre 2015

La place Saint-Georges est déserte ou presque. Il est neuf heures trente précises. L'air est doux, l'automne n'est pas encore arrivé, l'été s'éternise un peu. Comme chaque matin, depuis trois mois, le chauffeur du président a garé la Vel Satis grise au numéro 28. Les premiers jours, les habitants de ce quartier bobo, un peu surpris, ont tourné la tête vers la berline d'où ils ont aperçu, par la fenêtre entrouverte, le visage de Jacques Chirac. Puis, au fil des semaines, la voiture du président s'est fondue dans le décor.

Daniel, en costume cravate, descend la rue Notre-Dame-de-Lorette et rejoint le véhicule sur la place, Sketch au bout de sa laisse, un westie, une race écossaise robuste et rustique… Daniel ouvre la portière, toujours côté gauche, aide son chien qui grimpe péniblement sur la banquette arrière car l'animal est malade. En temps normal, Daniel prend le métro, mais quand le président a su que son chien était malade, il a exigé que son chauffeur et lui viennent les chercher pour éviter à l'animal trop de fatigue.

Daniel plie sa grande carcasse et s'engouffre dans la voiture, salue respectueusement le président assis à droite sur la banquette arrière, c'est sa place. Daniel est un fidèle parmi les fidèles, un homme de l'ombre : de ces personnages qui fuient la lumière pour se réfugier dans le clair-obscur, jamais sur les photos, parfois cité par un journaliste de presse écrite, jamais au premier plan, mais jamais bien loin non plus.

L'ancien chef d'État porte beau. Un costume gris, une chemise bleue à fines rayures, la cravate et la pochette composent un camaïeu sobre et élégant. Il a les yeux dans le vague, le visage collé à la vitre. Sans dire un mot, le président pose sa *main* sur le chien, comme chaque matin. Ce n'est pas vraiment une caresse, mais quelque chose d'autre, un geste indéchiffrable. Sa longue *main* aux doigts fins constellés de taches de vieillesse s'est doucement posée sur la petite bête blottie au fond de la banquette en cuir. La *main* du président, celle que des millions de Français ont observée à la télévision lorsque Jacques Chirac débattait, se défendait, essayait de convaincre du bien-fondé de sa politique, des *mains* pleines d'énergie, des *mains* qui ont fait sa force.

VIVRE POUR MIEUX BRÛLER L'ENNUI

La voiture démarre lentement, traverse le quartier – direction rue de Lille, là où le président a installé ses bureaux, à quelques mètres de l'endroit où, trente-neuf ans auparavant, Charles Pasqua et lui ont créé le RPR[1], une machine à victoires qui allait propulser Jacques Chirac au pouvoir. Comme si sa vie, foisonnante, multiple et complexe, avait effectué une boucle parfaite pour revenir au même point, à quelques mètres près, là où tout a commencé, là où tout se termine. Depuis que la maladie a frappé à sa porte en 2005, qui lui fait perdre doucement ses facultés intellectuelles, le président aime ces moments de liberté car ses journées sont devenues d'étranges parenthèses. La vitre grande ouverte, il observe avec gourmandise ces visages et ces corps inconnus qui défilent sur le trottoir, la vraie vie, brouillonne, simple, qui lui brûle, chaque matin, les rétines. La *main* toujours posée sur le chien qui ne bouge pas, le président regarde le monde, hume l'odeur de la ville, sa ville qu'il façonna, celle dont il fut le maire pendant dix-huit ans, un mois et vingt-six jours.

Cette ville lumière, Daniel la connaît lui aussi sur le bout des doigts. À vingt-cinq ans, encore jeune étudiant en droit, il se retrouve dans le bureau de Pasqua. Le destin. Le «patron» lui demande d'arpenter la ville, de la labourer, arrondissement par arrondissement, de visiter chaque permanence afin de préparer la campagne électorale éclair en vue des élections municipales de 1977. Jacques Chirac a créé le RPR en 1976. Il s'agit alors d'un tout jeune parti politique et il faut convaincre que le seul homme capable de gagner Paris, c'est Chirac. Daniel est un gamin de

---

1. Rassemblement pour la République.

vingt-cinq ans qui cherche un débouché à sa vie... Chirac, il le connaît à peine, mais il prend sa mission très à cœur.

Daniel a croisé Jacques Chirac en 1972 dans la propriété creusoise du puissant Pierre Juillet. Juillet est alors conseiller du président Pompidou aux côtés de Marie-France Garaud. Tous deux deviendront les mentors de Jacques Chirac. Pierre Juillet est un homme discret, amoureux de la nature, à la recherche du silence. Régulièrement, pour s'éloigner des bruits de la ville, il descend dans la Creuse : il marche en forêt, il tond ses moutons qu'il attrape sans vergogne, comme un paysan aguerri, tout en réfléchissant aux stratégies qu'il échafaudera de retour dans la capitale. Daniel se souvient, l'image a imprimé sa rétine : Pierre et Jacques sont postés comme des soldats à l'entraînement et s'amusent à faire des cartons avec des revolvers sur des emballages de bouteilles de whisky Glenfiddich vides. Le souvenir est intact, jusqu'à la marque de la bouteille. Ce jour-là, Daniel ne se doute pas de ce qui va lui arriver et Jacques Chirac non plus d'ailleurs, aveuglés par leur jeunesse. Ils ignorent que débute la plus longue et peut-être la plus belle histoire de leur vie. Quarante ans aux côtés de Jacques Chirac, sans un nuage, sans une ride. Daniel l'a vu se transformer sous ses yeux, ils ont grandi ensemble, aujourd'hui ils vieillissent ensemble, l'un beaucoup plus vite que l'autre.

Daniel a pris le bateau RPR en 1976 pour ne jamais plus mettre pied à terre. Un voyage au long cours, tumultueux, harassant, excitant, l'aventure d'une vie : la conquête de Paris, le nouveau parti gaulliste et son appareil qu'il faut tenir, puis les meetings qui s'enchaînent à une vitesse folle avec chaque soir, en vedette américaine, le fringant Jacques Chirac. Un bel homme, si l'on en croit le succès qu'il a auprès des femmes. Si un peintre devait le croquer, il lancerait, dans un geste vif, un trait au fusain, souple et élégant, comme une fulgurance inaccessible. Jacques Chirac, c'est un mouvement, une énergie brute sous les lumières d'une estrade de province. À ses côtés, Daniel mène une vie de saltimbanque, un soir ici, un autre là, jusqu'en 1995, l'année de la consécration : l'Élysée. Daniel devient chef de cabinet adjoint du président de la République.

La ville défile lentement derrière les vitres de la berline. Les deux hommes sont assis l'un à côté de l'autre, silencieux. Un calme brisé parfois par un passant, un homme, souvent une femme, qui a reconnu dans la voiture le président de la République. Étonné de voir en chair et en os celui qu'il a toujours vu à la télé. Il est entré dans le cœur des Français, qui semblent lui avoir tout pardonné. Jacques Chirac aime ces moments, des moments qu'il a toujours affectionnés d'ailleurs, même lorsqu'il détenait le pouvoir, même lorsque le protocole était un éteignoir, bridant ses folles envies.

« Daniel, arrêtons-nous, j'aimerais fumer une cigarette et boire un verre !

— Monsieur le président, il est interdit de fumer dans les cafés, vous le savez bien, c'est vous qui avez fait voter cette loi !

— Ah oui, juste une petite cigarette… » tente le président.

Le chien a levé la tête. Daniel profite du trajet pour regarder ses mails, répondre aux SMS, car bientôt il n'aura plus le temps de rien, tant il prend à cœur sa mission aux côtés du « président », comme il l'appelle affectueusement.

La voiture longe le jardin des Tuileries, s'arrête au feu rouge à l'angle de la rue Royale et de la place de la

Concorde. Avant, dans l'autre siècle, lorsqu'il avait le pouvoir, le président fonçait sur l'avenue Gabriel pour rejoindre l'Élysée à n'importe quelle heure du jour ou de la nuit. Aujourd'hui, il a tout son temps.

Dans quelques minutes, il montera dans son bureau –celui que l'État a mis à sa disposition comme pour tous les anciens présidents de la République –, accompagné de Daniel. Ses deux gardes du corps lui ont ouvert la grande porte verte du 119 de la rue de Lille, la Vel Satis a roulé très doucement sous le porche étroit, pour ne pas rayer les rétroviseurs. Chaque matin, les deux hommes aident le président à descendre, un pied sort lentement, puis l'autre. Son long corps, légèrement voûté, s'extirpe péniblement. Jacques Chirac est enfin debout, noyé dans une lumière fade. Daniel se tient là, juste à côté. Avec son mètre quatre-vingt-huit et sa carrure de rugbyman, il veille à tout.

La vie est un combat, le président le sait mieux que quiconque. L'ascenseur monte lentement. Il faut ensuite ouvrir la porte, saluer l'équipe. Claude, sa fille, est déjà au travail, elle qui le connaît le mieux, elle qui le suit depuis tant d'années, elle qui fut « l'artisan » de ses victoires. Elle est son œil, parle en son nom, incarne l'autorité. Elle regarde son père, devenu un vieil homme, qui rejoint son bureau en faisant péniblement traîner ses pieds sur le parquet, elle qui l'a vu bondir sur scène, s'agiter, serrer des mains jusqu'à plus soif.

Le voilà enfin seul, assis dans son grand fauteuil, sur lequel il va rester jusqu'à l'heure du déjeuner. Le président s'accorde un petit plaisir, il sort de sa poche son paquet de cigarettes, des Philips Morris Ultra Lights, pour se convaincre qu'elles sont moins dangereuses, une entorse aux recommandations des médecins. Elles sont son dernier espace de liberté. Avant il se réfugiait dans les toilettes pour tirer sur sa bouffarde afin d'échapper aux reproches de son épouse Bernadette. Maintenant il ne se cache plus. Il attrape son briquet, laisse se consumer le tabac qui rougit et avale lentement la première bouffée. Il laisse monter les volutes au plafond, comme des petits nuages d'un bleu dilué. Jacques Chirac regarde son bureau, un grand rectangle aux murs blancs, recouvert de peintures, de photographies, de sculptures. Nichée dans un coin, une gigantesque dent de narval offerte par son ami Jean Chrétien[1], l'ancien Premier ministre du Canada. Il s'attarde sur une étagère où repose la copie du premier crâne humain, celui de Toumaï, découvert par le professeur Michel Brunet. Face à lui, encastré dans l'âtre d'une cheminée, un sumo miniature rouge dans la position du combattant, une petite touche de couleur pour lui rappeler la vénération qu'il porte à ces hommes qu'il a vus s'affronter si souvent au Japon. Ce ne sont pas des œuvres d'art poussiéreuses qui trônent ici. Pas de hasard dans cet ordonnancement, chacune d'entre elles constitue un souvenir, une émotion, toutes sont reliées à un événement particulier de sa vie, offertes par un homme, un ami, un compagnon, achetées dans une galerie, elles sont les pièces d'un puzzle que lui seul sait remettre dans le bon ordre et lui donnent la force, chaque jour, d'aller au bout de l'histoire.

Avant de rejoindre le président dans son bureau, Daniel échange quelques mots avec Christine, la fidèle secrétaire. Il jette un œil sur le programme de la journée, relit la note sur laquelle sont inscrits les noms des visiteurs triés sur le

---

1. Premier ministre du Canada de novembre 1993 à décembre 2003.

volet, ceux qui auront le privilège d'entrer dans le bureau du président, sa «caverne».

Claude, sa fille, veille scrupuleusement, comme elle l'a toujours fait. Car il faut éviter les bavards, tous ceux qui essaieraient de tirer profit de cette rencontre en étalant dans les magazines people les dernières révélations sur le président. L'équipe doit aussi gérer les émotifs, ceux qui n'arrivent pas à retenir leurs larmes devant cet homme qu'ils aiment profondément et qui n'est plus celui qu'ils ont connu, des dévots que l'on retrouve bouleversés au comptoir du Concorde, le café-restaurant situé à deux pas des bureaux du président. Ne reste plus qu'un carré de fidèles, les grognards, et quelques personnalités internationales qui, de passage à Paris, veulent partager un moment avec lui.

Entre deux rendez-vous, les deux hommes se branchent sur une chaîne d'information en continu qui déverse ses mauvaises nouvelles. La furie du monde, toutes les quinze minutes. Avant, le président aurait sauté dans un avion, organisé des réunions d'urgence, affrontant le monde droit dans les yeux. Aujourd'hui, il le regarde se décomposer avec l'impuissance d'un retraité, comme si tout cela était devenu un écho lointain et inaccessible. Sur l'écran, des djihadistes de l'État islamique, d'effrayants personnages tout de noir vêtus parcourant une ville déserte dans un pick-up poussiéreux.

Le bruit de la ville monte doucement. La sirène d'une voiture de police vient briser cette torpeur. Le boulevard Saint-Germain est embouteillé, le président s'est assoupi quelques instants, pour rejoindre ses souvenirs. Le chien dort à ses pieds.

Jacques Chirac livre, à quatre-vingt-trois ans, sa dernière bataille. Autour de lui quelques fidèles qui reprennent leur souffle à chaque fois qu'ils poussent la porte. À quelques pas de là, depuis plusieurs mois, dans un tumulte sourd qui ne franchit pas le seuil de sa porte, la primaire à droite fait rage, elle bruisse de mille rumeurs et de supputations. Sur les ruines de la chiraquie, Alain Juppé, Nicolas Sarkozy, François Fillon s'affrontent à la vie à la mort. Il connaît de chacun ses qualités, ses défauts, ses forces, ses fragilités, mais tout cela n'a plus beaucoup d'importance maintenant. Jacques Chirac n'a plus la force de faire ni de défaire. Il n'a plus la force pour grand-chose. Il n'est plus qu'un nom, une image. Cet homme nu, vulnérable, assis dans ce bureau, a incontestablement marqué de son empreinte la vie politique. Aujourd'hui, il s'accroche à la vie avec dignité, et tous ses amis, de Jean-Louis Debré à Pierre Mazeaud, ses «bébés», ceux qu'il couva d'une chaleur protectrice et qui sont devenus à leur tour des hommes et des femmes politiques, ses copains de jeunesse, ceux qui sont encore de ce monde, se demandent ce que les Français vont garder de cet homme en apparence si simple et si complexe à l'intérieur.

Daniel a encore quelques minutes pour flâner place Édouard-Herriot, à deux pas du Palais-Bourbon. Son chien prend tout son temps, lui aussi savoure. Tout est prêt pour recevoir le nouveau ministre chinois des Affaires étrangères, Wang Yi. De passage à Paris, il vient rendre une visite privée à ce grand ami de la Chine. Le président a mis son plus beau costume, a plaqué ses cheveux en arrière comme à la grande époque. Comme en ce jour du 16 mai 1997 à Pékin, lorsqu'il signait avec le président chinois Jiang Zemin une déclaration sino-française appelant à un nouvel ordre mondial politique et économique.

Jacques Chirac, malgré sa santé chancelante, a ouvert la porte de son bureau à la petite délégation. Il a tenu à accueillir lui-même son hôte, arborant un large sourire. Daniel est là, à sa place habituelle. Jean-Marc de La Sablière a été convié à cette rencontre. Haut fonctionnaire du Quai d'Orsay, il fut son sherpa à l'Élysée et son ambassadeur à l'ONU pendant la crise irakienne. Le 14 février 2003, au Conseil de sécurité de l'ONU, il est l'homme aux lunettes assis derrière le ministre français des Affaires étrangères, avec le visage fermé de celui qui sait que le moment est historique. Au fil du temps, les deux hommes ont appris à se connaître et à s'apprécier, à se comprendre. Depuis sa retraite en 2011, il vient régulièrement rendre visite au président, accompagné de son épouse. Cette fois-ci, il est venu seul.

Aujourd'hui, il n'y a plus rien à négocier, pas de message secret à faire passer au président chinois. Pendant ses deux mandats, Jacques Chirac fut un excellent VRP de la France. Sous son impulsion, des milliards d'euros ont été engrangés dans les caisses de l'État, grâce à la signature de juteux contrats de vente d'Airbus, de locomotives, d'usines de retraitement des eaux. À chaque fois, le président vante le nouvel élan pris par les relations sino-françaises. Son amour pour l'empire du Milieu a des effets positifs pour l'économie française. Une façon habile de joindre l'utile à l'agréable.

Cette visite est juste un hommage pour un aîné que l'on respecte :

« Vous êtes un homme d'État occidental très connu en Chine, et surtout un grand ami, de longue date, du peuple chinois. L'amitié que vous portez à la Chine vient du fond de votre cœur et se fonde sur une compréhension profonde de l'histoire et de la culture chinoises, lui dit-il en préambule.

– À chacune de mes visites en Chine, j'ai été profondément impressionné par la force de la civilisation chinoise », lui répond le président.

Jacques Chirac, dès l'adolescence, en arpentant les salles du musée Guimet, avait compris que l'avenir du monde se jouait dans ce pays qu'il aimait par-dessus tout.

Le ministre chinois lui offre ensuite deux beaux ouvrages. Le président les ouvre lentement, regarde leur couverture, remercie le ministre. Daniel les pose délicatement sur le bureau de Jacques Chirac. L'entretien se termine. Le président s'extirpe difficilement de son fauteuil. Jean-Marc de La Sablière propose de raccompagner le ministre jusqu'à sa voiture. Jacques Chirac ne veut rien entendre, il veut le faire lui-même. « Le président chinois Jiang Zemin m'a toujours raccompagné lorsque j'étais en voyage officiel », dit-il sur un ton qui ne supporte aucune contradiction. Daniel et Jean-Marc de La Sablière se regardent, interloqués. Ils le laissent partir à son rythme. Un des gardes du corps ouvre la porte d'entrée de la rue de Lille. Le ministre chinois s'engouffre dans sa limousine, le gratifiant d'un dernier sourire. Jacques Chirac, debout sur le pas de la porte, lève sa longue *main* pour saluer une dernière fois la Chine, comme s'il était encore sur le perron de l'Élysée.

2

LA VÉRITÉ DE L'HUMANITÉ

La vérité d'un homme, c'est d'abord ce qu'il cache.

ANDRÉ MALRAUX

Le président dort de plus en plus mal, ses nuits sont agitées, il n'est pas rare qu'il se réveille à quatre heures du matin sans réussir à retrouver le sommeil. Alors il récupère ces heures perdues en faisant une sieste dans son bureau, comme lorsqu'il était en campagne en Corrèze à partir de 1967 et qu'il dormait une demi-heure dans sa Peugeot 403 gris poussière, son mètre quatre-vingt-neuf recroquevillé sur le siège passager, un sandwich saucisson sec d'une main et une cigarette de l'autre. Un petit somme avant d'affronter un nouveau meeting, un nouveau comice agricole ou une fête de village à l'autre bout du département. À cette époque, les électeurs ne voient qu'un beau garçon ambitieux, un météore à lunettes. Le Chirac côté face...

Aujourd'hui, son corps lui rappelle tous ses excès, sa folle envie de vivre qu'il a consumée sans compter. Mais ni les journalistes ni le grand public ne connaissent réellement ce qui habite cet homme pressé, qui est devenu, vingt-huit ans après sa première élection législative, le cinquième président de la Cinquième République. Quand il arpente la campagne de Corrèze, l'air déterminé, l'imper qui flotte au vent, la *main* tendue, une cigarette au coin de la bouche, le sourire en bandoulière, qui peut imaginer que lorsqu'il avait treize ans, ce gamin séchait les cours, non pas pour aller jouer au football ou traîner dans la rue, mais pour admirer des vases, des bronzes, des cédrats, des amphores, plongeant son regard sept millénaires en arrière.

Percer son mystère, c'est emprunter les couloirs sombres d'un dédale. Car, quand il s'agit de parler de lui, ce taiseux élude, minimise, joue à l'imbécile, un art qu'il maîtrise si bien... Il aura fallu attendre presque un demi-siècle et l'inauguration du musée du Quai Branly, le 20 juin 2006, pour entrapercevoir l'homme qui se cache derrière Jacques Chirac. Le Chirac côté pile...

Dix ans et quatorze millions de visiteurs plus tard, une cérémonie émouvante présidée par François Hollande, l'« autre » président corrézien, revient sur le long combat de Jacques Chirac, qui bien avant tout le monde avait senti que les arts pouvaient réconcilier les hommes et éviter le choc des civilisations, « qui ne conduit qu'à l'affrontement destructeur. [...] Lorsque l'abjection terroriste menace la liberté, lorsque des dictateurs ensauvagent des pays autrefois berceaux de civilisations, comme en Syrie, lorsque la guerre civile jette à la mer des milliers de réfugiés, nos valeurs sont le fil à plomb de la conscience et de l'espoir. C'est aussi ce que ce musée traduit[1]». Un musée qui depuis ce jour porte son nom «Quai Branly-Jacques Chirac». Un événement sans que le patriarche puisse y assister.

Son état de santé ne lui a pas permis de se montrer en public. À la tribune, son petit-fils Martin, du haut de ses vingt et un ans, raconte, la gorge nouée, la passion de son grand-père pour les arts premiers.

Ce musée est d'abord un rêve devenu réalité à travers la rencontre de deux Jacques. Une rencontre comme une étincelle dans la nuit. Jacques Kerchache est un collectionneur à la personnalité hors du commun, expert incontournable en arts premiers, reconnu dans le monde entier pour ses connaissances encyclopédiques de l'art, sous toutes ses formes. La passion d'une vie qu'il aimerait partager avec les Français. Célébré aux États-Unis, il est ignoré en France. Un soir, Anne Kerchache reçoit un appel de Steven Spielberg qui veut tourner un film sur un aventurier et lui propose de s'installer avec sa famille à Los Angeles pour qu'il raconte ses voyages, ses aventures... mais il décline et *Indiana Jones*, succès du box-office mondial, se fera sans lui puisqu'il veut rester en France, sa patrie. Jacques Kerchache, lui qui n'est pas un expert de salon, voudrait tellement que l'on découvre la beauté de ces œuvres venues d'Afrique, d'Océanie, d'Asie, qu'il a lui-même transportées à dos d'homme ou sur des pirogues dans des conditions extrêmes. Dans les années 1980, il cherche à convaincre le président François Mitterrand de soutenir son projet de musée des arts premiers, en vain...

---

1. Discours de François Hollande prononcé le 20 juin 2016 au musée du Quai Branly-Jacques Chirac.

Cet amoureux des belles lettres n'y croit pas et considère ces œuvres comme un art mineur, pour ne pas dire d'autres mots. Il y a pourtant, derrière cette obstination, un véritable message politique, celui que Jacques Chirac partage sans encore le savoir... Quelques mois avant leur rencontre, le 15 mars 1990, Jacques Kerchache signe un manifeste virulent dans les colonnes de *Libération* : « Pour que les chefs-d'œuvre du monde entier naissent libres et égaux ». Cet aventurier érudit voudrait tellement faire partager au plus grand nombre la passion qui l'habite depuis si longtemps.

Jacques Kerchache a vingt-quatre ans lorsqu'il quitte Paris. Sa famille, de souche modeste[1], va pendant un an faire des économies pour lui permettre de vivre sa passion. Son petit pécule en poche, il part à l'aventure au Dahomey, aujourd'hui le Bénin, le berceau du vaudou[2]... Pendant plus de dix ans, chapeau de brousse et sac à dos, il sillonne l'Afrique au péril de sa vie, pour rencontrer des tribus qui vivent dans la forêt, pour comprendre leurs arts, s'immerger dans leur intimité et partager leurs rites mystiques. Peu à peu, il devient leur frère blanc et réussit à vivre avec les papas vaudous, ceux qui détiennent le pouvoir et la force. Une force qu'ils vont lui transmettre « parce qu'ils savaient qu'il en prendrait soin[3] ». Jacques Kerchache devient leur ambassadeur, une fidélité pour la vie. Il connaît la puissance de chacune des œuvres qu'il

---

1. Son père est tourneur et sa mère est femme au foyer.
2. Le vaudou est une religion animiste qui prend sa source en Afrique de l'Ouest. Il est constitué aussi de rites secrets dont le but est de s'attirer la bienveillance des dieux et des forces invisibles peuplant l'univers. Avec la traite négrière, le vaudou s'étend dans les Caraïbes, au Brésil, partout où les esclaves auront été déportés.
3. Entretien de l'auteur avec Anne Kerchache, août 2016.

rapporte en France. Des œuvres étranges à l'esthétique troublante et ambiguë, des objets intimement liés à leur fonction. Car ces œuvres d'art sont d'abord des objets de culte, qui renferment l'énergie des ancêtres, dont la fonction est de protéger ou de nuire...

L'étincelle qui bouleverse la vie des deux Jacques se produit à l'été 1990, sur l'île Maurice. Un instant fondateur parce qu'il scelle une amitié indéfectible. Les couples Chirac et Kerchache résident dans le même hôtel et, par le plus grand des hasards, sont voisins de chambre. Quelques semaines auparavant, Jacques Kerchache avait découvert, dans un article de *Paris Match* consacré au maire de Paris, une photo dévoilant aux lecteurs son monumental bureau sur lequel était posé en évidence son livre *Les Arts africains*. « Il a décidé de l'interpeller dans le couloir de l'hôtel, je lui avais pourtant défendu de ne pas déranger le maire pendant ses vacances, mais c'était plus fort que lui[1]. » Anne Kerchache en sourit encore. Contrairement à la légende colportée d'article de presse en article de presse[2], Jacques Chirac ne l'a pas repoussé, bien au contraire. Il est aux anges, ravi d'avoir devant lui l'auteur de l'un de ses livres de chevet. Pendant les trois semaines de vacances, les deux hommes ne se quittent plus : « Ils marchaient sur la plage pendant des heures, discutaient sans s'arrêter, je n'en revenais pas. » De longues marches sur le sable, entre mer et soleil, où les deux hommes se découvrent cette passion commune. Une révélation. Le soir venu, le couple Chirac et la famille Kerchache se retrouvent pour l'apéritif, comme de simples vacanciers. Maïa et Deborah, les deux enfants

---

1. *Ibid.*
2. Cf. article du *Parisien* du 17 juin 2016.

des Kerchache, amusent beaucoup Jacques et Bernadette...
On rit, on est heureux. Une amitié vient de naître.

De retour à Paris, les deux hommes poursuivent leurs échanges sur une œuvre, un objet que Jacques Chirac a dénichés. À la mairie de Paris, puis à l'Élysée. Jacques Kerchache passe des après-midi entiers avec le président, enfermés dans leur monde. Ils confrontent leurs points de vue, posent à même le sol leurs documents, comme deux étudiants exaltés. Ils se ressemblent tellement. Les deux Jacques sont des enfants uniques. Tous deux ont une mère étouffante, tous deux ont fui les bancs de l'école pour vivre leur vie, attirés par l'ailleurs. Et puis ils ont en partage ce goût de l'aventure, l'amour des grands voyages et de l'art. Mais l'un est allé au bout de ses rêves en sillonnant les continents, l'autre est resté sur place en voyageant dans sa tête. Deux hommes à part qui ont tracé leur chemin chacun de leur côté et qui à travers cette rencontre vont se révéler, jusqu'à se transcender pour donner naissance à ce musée qui ouvrira ses portes en 2006. Kerchache, c'est son double, le seul à comprendre tout ce que les amis politiques de Chirac considèrent comme des «chinoiseries».

Ce lundi 11 juillet 2016, l'âme de Jacques Kerchache plane au-dessus de ce petit groupe de visiteurs qui déambulent dans les salles du musée du Quai Branly-Jacques Chirac fermé au public comme chaque lundi. Ce ne sont pas n'importe quels visiteurs, autour de Jacques Chirac en chaise roulante, sa fille Claude, son épouse Bernadette, le président du musée Stéphane Martin, le commissaire d'exposition Jean-Jacques Aillagon[1] et son

---

1. Ministre de la Culture et de la Communication des gouvernements Raffarin sous la présidence de Jacques Chirac (2002-2004).

ami Abdou Diouf, l'ancien président du Sénégal. Ils savourent l'exposition qui est consacrée au président Chirac. Ce musée, c'est le rêve de deux gosses passionnés. Si seulement il pouvait être là pour partager ce moment avec lui. Jacques Kerchache, qu'il considérait comme un frère, est décédé prématurément au Mexique en 2001 à l'âge de cinquante-neuf ans, cinq ans avant l'inauguration de ce musée pour lequel il s'était tant battu.

On pousse la chaise roulante du président à travers les vastes salles du musée. Jacques Chirac est silencieux, absent. Cette exposition, mise en scène par Jean-Jacques Aillagon, est un grand voyage dans la cathédrale intérieure de l'homme Chirac. Son enfance, ses passions pour les cultures lointaines et son combat pour imposer les arts premiers, méprisés par des conservateurs pédants qui ne s'intéressent qu'à l'art académique, occidental de préférence. La visite de ce musée qui porte dorénavant son nom est la plus belle des reconnaissances. Seize ans de bataille contre les intellectuels, les bien-pensants, les savants, les experts, plus largement contre l'esprit français où l'art reconnu et célébré ne commence qu'à la Renaissance pour se terminer au XXᵉ siècle avec les cubistes.

Se souvient-il de ces années de palabres avec Pierre Rosenberg, le conservateur du Louvre, une sommité dans le monde des arts, qui a fait toute sa carrière dans ce musée le plus visité au monde ? L'homme à l'écharpe rouge s'opposa autant qu'il le put à exposer des œuvres primitives au pavillon des Sessions du musée du Louvre. « Le Louvre n'a d'ailleurs pas vocation à présenter l'art de l'ensemble de l'humanité », explique-t-il dans l'introduction de son catalogue trimestriel. Car ce qui se joue derrière cette querelle est un vieux et vain débat sur le rôle d'une œuvre d'art. Pour Pierre Rosenberg, ces œuvres d'art primitif n'en sont pas parce qu'elles sont avant tout des objets ethnologiques, la dimension esthétique n'arrivant qu'au second plan de la création.

Il faudra toute l'énergie de Jacques Chirac et de son ami Kerchache pour faire plier le conservateur afin que le grand public découvre, en avril 2000, après des années de bataille, des sculptures inuits, des terres cuites maliennes ou des œuvres océaniennes posées à quelques mètres de *La Joconde* et des toiles de Poussin, la grande passion de Pierre Rosenberg.

Jacques Chirac a-t-il apprécié ce moment? Quelques commentaires convenus indiquent que le président l'aurait beaucoup aimé, répétant à plusieurs reprises, selon les témoins : «Quelle belle exposition!» C'est en fait une victoire posthume, tristement posthume, car Jacques Chirac, ce jour-là, semble bien loin, coupé du monde...

Comment ses amis ont-ils pu passer si longtemps à côté de cette passion qui le dévore et qui, par résurgence, a influencé sa manière de faire de la politique et de penser le monde. Les médias s'interrogent, surpris, étonnés de découvrir que Jacques Chirac ne se réduit pas au western et à la tête de veau. Sa fille Claude lève un coin de voile sur la jeunesse turbulente de son père : «Il avait déjà en lui cette ouverture d'esprit, cette curiosité, cette envie de découvrir le monde. Jacques Chirac a toujours été un révolté[1]», raconte-t-elle.

Pour appréhender son monde intérieur si riche, il faut pousser la porte de son bureau où le calme feutré contraste avec le bouillonnement de sa vie. Jacques Chirac est à

---

1. Interview de Claude Chirac sur Europe 1, le 20 juin 2016.

la fois en mouvement perpétuel, un être qui s'agite et qui, dans le même temps, recherche le silence, lit, étudie, se plonge corps et âme dans des ouvrages savants pour essayer de comprendre l'histoire du monde, de sa création. L'aventure d'une vie n'y suffit pas. Chirac est un homme qui cherche désespérément parce que pour lui le début de tout reste une énigme absolue, aux limites de l'absurde. C'est dans ce trou noir du monde qu'il a choisi de plonger. En remontant le temps jusqu'à ses premières minutes, Jacques Chirac cherche confusément des réponses sur ses origines, sur le mystère de sa propre vie, mû par ce souffle vital qui guide le pas des hommes depuis les origines.

Dans cet espace apaisant, il est un peu comme dans le ventre de sa mère, il retrouve la sérénité. Face à lui, sur la cheminée faisant face à son bureau, tout ce qui constitue son panthéon, tout ce qui l'aide depuis un demi-siècle à se tenir droit, à penser à autre chose qu'aux affres de la politique : deux vases chinois d'un bleu dilué, posés aux extrémités, et au milieu une statuette africaine longiligne en bois sombre – une œuvre mumuye venue de l'est du Nigéria datant du XIXᵉ siècle, une période sur laquelle le président est incollable.

Sur un autre pan de mur, sur de petites étagères encastrées, sommeillent des œuvres venues de tous les continents. Des statuettes précolombiennes côtoient un anneau en jade asiatique porte-bonheur et une cuillère de l'ethnie dan, implantée dans l'est de la Côte d'Ivoire – un cadeau que l'on offre dans les villages aux femmes les plus valeureuses. Un ours blanc miniature toise des objets en bronze.

Sur un autre pan encore, une grande toile de Zao Wou Ki, artiste chinois à la renommée mondiale, partage l'espace avec un Boli, une œuvre sacrée dogon offerte par les Kerchache. Elle représente un animal imaginaire, tout en rondeur, mi-éléphant mi-hippopotame, constitué de matières organiques et minérales de toutes sortes, agglomérées avec le sang d'animaux sacrifiés. Sur la cheminée en face de son bureau, une statuette anthropomorphe wongo-lele venue du Congo, surnommée par Jacques Chirac «Kofi Annan», parce qu'elle ressemble à son ami, secrétaire général des Nations unies de 1997 à 2006. Jacques Chirac en fera son invité d'honneur en 2006 le jour de l'inauguration du musée du Quai Branly. Dans un coin de la pièce, une dent de narval offerte par le Premier ministre canadien, Jean Chrétien, servant à «punir les collaborateurs indociles».

Mais que racontent ces œuvres, celles qui partagent son quotidien depuis tant d'années ? Elles constituent des viatiques, venus des profondeurs du temps, qui ont guidé ses pas, elles racontent l'intelligence primitive et le raffinement de mondes engloutis qui embellissent son quotidien et lui rappellent que les vanités de la vie ne sont que de minuscules confettis. Ces œuvres bigarrées incarnent le combat d'une vie, sa révolte contre une vision colonialiste du monde, contre la toute-puissance occidentale. Car, pour lui, il n'y a pas d'art majeur, ni d'art mineur, il n'y a pas de petites ou grandes civilisations, voilà ce qui constitue la colonne vertébrale de Jacques Chirac.

Le 15 octobre 2001, lors de l'ouverture de la XXXIe conférence générale de l'Unesco, de retour de New York, où il fut le premier président à survoler les décombres fumants des tours du World Trade Center après les attentats du 11-Septembre, Jacques Chirac s'interroge à voix haute sur notre responsabilité dans ce désastre: «L'Occident a-t-il donné le sentiment d'imposer une culture dominante, essentiellement matérialiste, vécue comme agressive puisque la plus grande partie de l'humanité l'observe, la côtoie sans y avoir accès ? Est-ce que certains de nos grands débats culturels ne sont pas parfois apparus comme des débats de nantis, ethnocentrés, qui laissaient de côté les réalités sociales et spirituelles de ce qui n'était pas l'Occident ? » Il y a de la politique dans cette passion qui contient un message profond, bien plus concret qu'on ne l'imagine, et qui vient heurter nos certitudes d'hommes riches. Devant les représentants de l'Unesco, il conclut son discours sur le dialogue nécessaire des cultures en plongeant aux racines de l'humanité : « Quelque part en Afrique de l'Est, voici plusieurs millions d'années, notre ancêtre commun s'est levé et a décidé de partir à la conquête de l'inconnu. Au gré de ses errances, les peuples et les cultures sont nés. »

Jacques Chirac est un Africain blanc, il en a l'âme, ce qui a le don de dérouter ses amis. « Il se sent loin de l'Occident, il voue une méfiance à notre civilisation occidentale. Il n'aime pas Rome, ses empereurs et ses vieilles pierres, cette espèce d'arrogance de l'Empire, ça l'ennuie profondément. Il considère que les Africains ont raison sur les Occidentaux, c'est finalement une vision tiers-mondiste[1]. »

Le 26 juillet 2007, le sang de Jacques Chirac ne fait qu'un tour lorsqu'il entend son successeur, Nicolas Sarkozy, prononcer cette phrase qu'il reçoit comme un coup de poignard en plein cœur. À Dakar, Nicolas Sarkozy développe sa pensée, pour lui, l'homme africain ne serait pas « assez entré dans l'histoire. [...] Jamais il ne s'élance

---

1. Entretien de l'auteur avec Denis Tillinac, août 2016.

vers l'avenir », assène-t-il devant un parterre d'universitaires et de notables médusés. Ce discours, écrit par Henri Guaino[1], provoque la colère du président. Deux ans plus tard, le 15 juin 2009, dans un documentaire diffusé sur France 5, le président se confie à deux journalistes, Christian Malard et Bernard Vaillot, pour rectifier les propos de Nicolas Sarkozy : « L'homme africain est entré dans l'histoire. Il y est même entré le premier. On ne peut avoir à son égard que du respect, le respect que l'on a pour un ancêtre commun[2]. »

Ainsi, il aime les westerns, non pas par inculture ou par facilité, comme beaucoup l'ont cru, mais parce que ces films très codifiés parlent des Indiens, d'un peuple colonisé devenu au fil des années une vitrine folklorique. Chez Jacques Chirac, il y a des lignes à ne pas franchir et ceux qui la dépassent se font vertement remettre à leur place. Un jour, alors qu'il rentrait du Canada d'une réunion de sherpas pour préparer un G8, Jean-Marc de La Sablière a rapporté au président, sans imaginer la gravité de ses propos, que trois Indiens en tenue traditionnelle étaient venus leur faire fumer le calumet de la paix. Sacrilège ! Le président est alors entré dans « une colère noire que je lui avais rarement vue : "Vous n'aviez pas à faire ça, alors que vous me représentiez à cette réunion[3]" ». Imaginer ces pauvres Indiens à la culture si riche, contraints, pour nourrir leur famille, de s'exhiber devant ces hommes en costume cravate, est une insulte à ce peuple qu'il respecte

---

1. Conseiller spécial de Nicolas Sarkozy entre 2007 et 2012. Ancien député des Yvelines.
2. Propos de Jacques Chirac dans l'émission « À visage découvert », France 5.
3. Entretien de l'auteur avec Jean-Marc de La Sablière, septembre 2016.

tant. Il est comme ça, Jacques Chirac, souple à l'extérieur, élastique dans sa manière de faire de la politique, d'en changer, de s'adapter, de jouer avec les idéologies comme au bonneteau, rigide à l'intérieur, traversé par quelques principes érigés en lignes de vie, faites d'un bois millénaire et inaltérable. Un humanisme à fleur de peau.

***

Ces œuvres bigarrées posées dans ce bureau sont les témoins silencieux de son ascension, elles savent tout de lui : ses angoisses, ses tristesses, ses euphories. Et si finalement nous n'avions vu de cet homme que le feu qui le brûlait, sans percevoir l'eau calme et apaisante qui coulait en lui.

Depuis plus de vingt ans, il ne se sépare jamais d'une sacoche noire qui renferme un trésor, bien plus précieux à ses yeux que les codes nucléaires ou que les grands secrets de la République, comme si l'énergie du monde bouillonnait dans ce petit rectangle noir. Lorsqu'il quitte chaque soir son bureau de la rue de Lille, Jacques Chirac l'emporte avec lui. Très régulièrement, il la pose sur ses genoux, l'ouvre comme un rituel. «Il relit quelques notes, prend tout son temps, observe, comme s'il voulait vérifier une information de la première importance inscrite sur ces documents. Puis il les range dans le sac, le visage serein», raconte Daniel, qui voit cette sacoche depuis tant d'années.

Qu'il fût dans un avion, dans un hôtel ou dans son bureau de l'Élysée, il avait toujours près de lui cette petite sacoche noire. Cette serviette intriguait beaucoup. Il aimait le contact de ces documents et ne s'en séparait jamais. Hugues Renson a eu le privilège de voir le président en exercice ouvrir cette sacoche et consulter ses planches. « C'était toujours un moment particulier de le voir lire ces notes[1]. » Hugues Renson, que Jacques Chirac appelle affectueusement « Barbichu », parce qu'il porte cette barbe naissante très à la mode ces derniers temps, fait partie de ces collaborateurs qui ont noué une relation particulière avec le président. À l'Élysée, en qualité de conseiller en charge des affaires sociales, puis, à partir de mai 2007, il a fait le choix de le suivre après son départ de l'Élysée pour partager sa nouvelle vie. Lorsque le président se déplace, il est sur toutes les images, près de lui, à son écoute.

Sur ces documents, que le président a pris soin de cacher des regards et qui ont fait le tour du monde plusieurs fois, est inscrite l'histoire de l'humanité : des frises chronologiques qui démarrent du big-bang il y a quinze milliards d'années jusqu'à l'apparition du premier homme moderne cent cinquante mille ans avant Jésus-Christ ; une centaine de dates et de découvertes scientifiques qui témoignent de notre évolution depuis la création de la Terre. On l'imagine se pencher sur ces documents, posés sur son bureau de l'Élysée, repoussant les parapheurs, les réunions, les courtisans, les collaborateurs en file indienne derrière la porte, éloigner le quotidien pour se plonger dans cette grande traversée de l'humanité. Parce que le président ne se contente pas d'apprendre des chronologies, il y a, sur d'autres planches, une étude détaillée des civilisations préhistoriques relatant les grandes étapes de l'aventure humaine. Jacques Chirac les connaît par cœur ou presque. On y apprend, par exemple, que sous l'ère qui s'étend du gravettien au châtelperronien, l'*Homo sapiens sapiens*

---

1. Entretien de l'auteur avec Hugues Renson, décembre 2015.

invente l'art en colorant le sol d'ocre rouge. Sur une autre, on découvre les coupes anthropométriques des crânes de nos ancêtres, de l'australopithèque jusqu'à l'homme de Cro-Magnon, le plus proche de l'homme moderne. Lorsqu'il les regarde, Jacques Chirac se parle à lui-même... Personne ne sait vraiment à quel moment Jacques Chirac s'est procuré ces planches. Il est possible que Jacques Kerchache ait joué, ici aussi, un rôle important, fondateur. Non seulement ce collectionneur s'est mis en tête de réaliser l'inventaire mondial des œuvres d'art, mais, dans sa «maison-musée du monde» dans le 13e arrondissement de Paris, il a créé une salle informatique. À l'époque, nous n'en sommes qu'aux prémices de l'ère 2.0. Mais, sur son ordinateur, il synchronise une multitude d'informations qui vont de la préhistoire jusqu'à la période contemporaine, archive, compile, pour conserver son immense patrimoine culturel. Le maire de Paris est fasciné par ces schémas, ces courbes, ces dates, dont probablement celles contenues dans la fameuse sacoche du président «parce que cela correspondait à sa façon de voir le monde[1]». Des milliers de données qui théorisent l'évolution et l'extinction des civilisations, avec une idée obsessionnelle qui unit les deux Jacques: prouver scientifiquement que ces œuvres forment un ensemble cohérent, toutes reliées entre elles par un fil invisible ne constituant qu'un tout, comme s'ils voulaient écrire le grand récit de l'histoire du monde et de l'univers.

Derrière ce masque de franchouillard et de bon vivant de celui qui est décrit par les journalistes et les observateurs pendant des décennies comme un sympathique ignare,

---

1. Entretien de l'auteur avec Anne Kerchache, août 2016.

une bête de foire juste bonne à tâter le cul des vaches au Salon de l'agriculture et à séduire la fermière, se cache, en réalité, un être d'une grande érudition, doté d'une culture encyclopédique. Aucune civilisation ne lui est étrangère, aucun peuple autochtone n'échappe à son intérêt : la civilisation, les arts primitifs, qu'ils soient africains ou océaniens, et bien sûr l'art asiatique. En 1992, Jacques Chirac refuse d'associer la mairie de Paris aux festivités commémorant les cinq cents ans de la découverte de l'Amérique. Pas question de célébrer ces hordes de barbares emmenées par Christophe Colomb que Jacques Chirac considère comme des génocidaires. Des conquistadors qui ont décimé des civilisations entières.

Deux ans après ces cérémonies, en février 1994, une grande exposition, au Petit Palais à Paris, présente pour la première fois des œuvres taïnos, dévoilant au grand public cette civilisation amérindienne détruite par les Espagnols. Personne en France n'a entendu parler de ces Taïnos sacrifiés sur l'autel de l'histoire officielle des conquêtes de Christophe Colomb. On peut y voir des sculptures, des colliers et des objets rituels prouvant à quel point les Taïnos étaient une société raffinée et développée. Jacques Kerchache est le directeur de l'exposition, un événement culturel en forme de promesse. Car, à travers cet événement, Jacques Chirac pose la première pierre du futur musée du Quai Branly, ce grand édifice que les deux hommes sont en train de bâtir dans leurs têtes.

Mais d'où lui vient ce besoin de comprendre l'histoire de l'humanité ? Par quel étrange processus cet homme a-t-il toujours caché ce qu'il avait de plus beau en lui ? D'où lui vient ce besoin de percer le mystère des origines ? De découvrir ce qui se cache après la mort ? De déchiffrer la vie

après qu'elle a disparu ? Au travers de cette quête universelle, Jacques Chirac se parle à lui-même. En fouillant dans
les catacombes de l'humanité, il part à la recherche de ses
origines, quelque chose qui lui a échappé et qu'il cherche
à rattraper par tous les moyens.

***

La mort de son ami Jacques Kerchache, le 8 août 2001,
interrompt brutalement le voyage au cœur des civilisations que les deux hommes effectuaient depuis les
premières minutes de leur rencontre à l'île Maurice, dix ans
auparavant. Un choc terrible pour Jacques Chirac, qui va
le rapprocher un peu plus d'un autre homme qui, lui aussi,
va marquer sa vie.

Jamais sur les photos officielles, un visiteur du soir
discret : Christian Deydier. Il connaît Jacques Chirac
depuis la fin des années 1990, une complicité de vingt ans
– pour ne pas dire une amitié – prenant sa source dans l'art
chinois. Ils parlent le même langage, aiment l'archéologie,
les voyages, l'aventure et la découverte du monde. Ils ont,
chevillé au plus profond d'eux-mêmes, cet amour pour la
Chine, une connaissance profonde de cette civilisation
unique, dont les codes sont si éloignés de nos sociétés
occidentales. Christian Deydier fait partie des meilleurs
experts mondiaux d'art asiatique et de bronzes chinois, la
grande passion du président.

Christian Deydier est né au Laos, il étudie l'écriture
chinoise, mène une campagne de fouilles archéologiques
en ouvrant le tombeau de la princesse impériale Xincheng
de la dynastie Tang, bourlingue à travers la Chine et le
Népal à la recherche de ces trésors enfouis. Il est celui

que Jacques Chirac ne sera jamais. Les résultats de ses recherches sont publiés dans les plus prestigieuses revues chinoises d'archéologie. On vient du monde entier pour le consulter, lui demander un avis sur une œuvre... Dans ce cercle très fermé, il est incontournable. Lui aussi a remarqué cette sacoche noire et il sait pourquoi Jacques Chirac ne s'en sépare jamais. Le président nourrissait secrètement un projet immense. Lui qui rêvait de devenir archéologue après l'Élysée[1] caressait l'espoir de créer un musée des civilisations, quelque chose de beaucoup plus global encore que son musée des arts premiers. Il n'a jamais pu le mener à son terme. « C'est pour cela qu'il conservait ses précieuses planches[2] », croit deviner Christian Deydier, parce qu'elles étaient une base de réflexion pour créer ce musée universel où chaque culture aurait pu se parler et se répondre. « Je crois qu'il voulait comprendre l'être humain, c'était chez lui une quête incessante », comme s'il avait gardé intact le feu de sa jeunesse, cette volonté de l'ailleurs, ce besoin d'atteindre l'âme des peuples à travers leurs créations artistiques.

Jacques Chirac est un être complexe, beaucoup plus complexe que l'image qu'il a bien voulu donner de lui. Nombreux sont ceux qui l'ont approché mais peu ont réussi à le connaître vraiment. « Je préfère faire le gâteux pour qu'ils me foutent la paix », dit-il parfois en prenant des airs de vieux paysan corrézien. Un trait de son caractère comme le fil conducteur qui va rythmer toute sa vie. Mêlant l'envie d'être libre pour ne jamais être prisonnier de quiconque et une envie profonde d'être aimé et de se

---

1. *Chirac, une vie*, de Franz-Olivier Giesbert, Flammarion, 2016.
2. Entretien de l'auteur avec Christian Deydier, février 2016.

faire aimer, des désirs contradictoires que Jacques Chirac va essayer de dompter toute sa vie.

Christian Deydier fait partie de ce petit cercle qui a pu l'observer de près, loin du protocole, loin des obligations liées à sa fonction. Il est de tous les voyages en Asie, en Chine, le suit des heures entières dans tous les musées exposant des œuvres chinoises. Il parle spontanément de ces fameuses *mains*, longues, fines, élégantes. Sur le site internet de cet expert, Jacques Chirac est omniprésent, souvent penché sur une œuvre, à la manière des spécialistes, une position du corps inhabituelle, un regard qu'on ne lui connaît pas. À ces instants, il est sans fard, plongé à l'intérieur de lui-même.

Tous les deux ans à la fin de l'été, au Grand Palais, Christian Deydier, à l'époque président du Syndicat des antiquaires, organise la biennale des antiquaires. Un événement à la renommée mondiale. Parmi le public, trié sur le volet, Karl Lagerfeld, un ami de Bernadette, des vedettes de cinéma, de la musique, des collectionneurs, des capitaines d'industrie, comme François Pinault, un ami de longue date du président. La biennale est le lieu où il faut être vu. Le président est sur toutes les photos. Il serre des mains, souriant, comme à son habitude, affable et généreux. Quelques rares clichés le dévoilent devant les œuvres exposées. Ici, une statuette africaine, là, devant un bronze chinois. Sur ces images, son visage a changé, ses traits ne sont plus ceux du bateleur, de l'homme politique que rien n'impressionne. Il a soudain un air grave, sa bouche dessine une sorte de moue, ses yeux se font perçants comme s'il essayait d'entrer en communication avec l'artiste. Sur une autre, la seule d'ailleurs de ce diaporama, le photographe a choisi de faire un gros plan de sa *main*, reconnaissable entre mille. Elle est délicatement posée sur un petit animal en bronze, ses longs doigts semblent effleurer la sculpture, donnant l'impression de caresser l'œuvre, un effleurement comme pour mieux ressentir l'énergie qui s'en dégage. « C'est ainsi que l'on décèle si une œuvre est un faux ou une copie, lorsqu'on ne sent pas l'énergie de l'œuvre, lorsqu'on ne sent pas la force de l'artiste. Chirac est capable de ressentir ça, ça ne s'explique pas[1]. »

Sentir l'énergie d'une œuvre grâce à ses *mains*, en se laissant traverser par la force du créateur, un pouvoir que Jacques Chirac possède, capable de rester de longues minutes à fixer un bronze, à chercher à déceler sa musique intérieure, à la sentir vibrer. Une image étrange, aux frontières du mysticisme. Une force que Jacques Chirac protège avec de hautes parois étanches parce que ses amis politiques du moment ne comprennent rien ou pas grand-chose à cette passion qui n'a rien d'académique, car ce qui l'habite est bien plus qu'une passion, un passe-temps défouloir, c'est une puissance étrange qui le submerge, le dévore et contre laquelle il ne peut pas faire grand-chose.

***

Du plus loin que Jacques Toubon[2] se souvienne, il garde intact leurs premières rencontres, qui révèlent dès le début les contrastes du personnage. La première fois qu'il croise

---

1. *Ibid.*
2. Aujourd'hui Défenseur des droits, il a été secrétaire général du RPR de Jacques Chirac dans les années 1980, ministre de la Culture et de la Francophonie de 1993 à 1995 dans le gouvernement Balladur et garde des Sceaux, ministre de la Justice de 1995 à 1997 sous la présidence de Jacques Chirac.

Jacques Chirac, c'est à Bayonne en 1967. Jacques Toubon, de neuf ans son cadet, est directeur de cabinet du préfet des Pyrénées-Atlantiques. Il voit débouler un individu avec de grandes jambes, les cheveux plaqués. Il traverse les salons de la préfecture à toute allure. Jacques Chirac est secrétaire d'État à l'Emploi et a entrepris, à la demande de Pompidou, un tour de France pour préparer les ordonnances sur l'emploi qui, entre autres, allaient donner naissance à l'ANPE. Jacques Toubon est impressionné par son charisme et sa façon d'être. Les prémices d'une longue amitié, vieille de presque un demi-siècle.

Deux ans plus tard, nouvelle rencontre au ministère des Finances. Nous sommes en 1969, Jacques Chirac a trente-sept ans. Il est devenu secrétaire d'État au Budget dans le gouvernement de Maurice Couve de Murville. Ils doivent monter la structure juridique de la Fondation Claude-Pompidou. Ce n'est plus le jeune loup que Jacques Toubon a en face de lui : «À peine avions-nous commencé notre entretien qu'il m'a demandé si je connaissais ce livre posé sur son bureau ; *L'Art des steppes*[1], un bel ouvrage qu'il m'a tendu en m'invitant à le lire. Je l'ai pris, un peu surpris, embarrassé, n'osant pas lui dire que je ne connaissais rien à l'art eurasiatique[2].»

Ce livre a une longue histoire car, avant de trôner sur son bureau de ministre, le député Chirac le dévore déjà dans l'hémicycle de l'Assemblée nationale pour passer le temps. «En général, les hommes lisent le magazine *Playboy* en le cachant dans un recueil de poésie. Chirac lit des

---

1. Karl Jettmar, Albin Michel, 1965.
2. Entretien de l'auteur avec Jacques Toubon, janvier 2016.

poèmes en les dissimulant dans un numéro de *Playboy*[1]. »
Aujourd'hui, les députés envoient des SMS à leurs amis,
tweetent leurs meilleures phrases, naviguent à partir de
leur iPad sur des sites d'information... Jacques Chirac, lui,
se plonge dans les mystères des civilisations. Une autre
époque.

Nous sommes en 1967, la jeune journaliste politique
Michèle Cotta, installée en tribune de presse, qui surplombe
l'hémicycle, fait partie de ces témoins privilégiés. Croisant
le député salle des Quatre-Colonnes, elle l'interroge sur ses
lectures : « Un brin perfide, il me répond qu'il lisait *L'Art des
steppes*, et m'a même demandé si je l'avais lu[2]... » Pendant
que les députés font la loi, Jacques Chirac s'évade, voyage,
loin, très loin de débats parlementaires qui semblent l'intéresser si peu. « Oui, c'est vrai, il était passionné des arts
venus de civilisations lointaines, explique Marie-France
Garaud, qui fut l'une de ses éminences grises dans les
années 1970, jamais avare d'un coup de griffe, jamais
tendre avec celui dont elle fut si proche. Il est comme
Murat, sabre au clair, toujours prêt à foncer et de temps
en temps il aimait se reposer[3]. » Peut-on réduire la passion
pour les arts premiers à une sorte de loisir folklorique et
exotique ?

Dès cette période et probablement bien avant d'ailleurs,
se cache un autre Jacques Chirac. Une énergie puissante à
fleur de peau, dissimulée sous l'épiderme du personnage
politique et médiatique qui est à cette époque en train
d'éclore. Comment cette spiritualité si particulière,

---

1. Citation de Françoise Giroud.
2. Entretien de l'auteur avec Michèle Cotta, avril 2016.
3. Entretien de l'auteur avec Marie-France Garaud, avril 2016.

comment cette façon d'appréhender le monde a-t-elle influencé ses choix politiques, du discours du Vél'd'Hiv le 16 juillet 1995, où, pour la première fois, un président de la République reconnaît la responsabilité de la France dans la déportation des juifs pendant la Seconde Guerre mondiale, à la décision de ne pas participer aux opérations américaines en Irak en 2003, en passant par le discours de Johannesburg au Sommet de la Terre de 2002, dont on retiendra cette phrase qui fait office aujourd'hui de rempart contre les climato-sceptiques : «Notre maison brûle et nous regardons ailleurs[1]», un cri d'alarme du président français pour sauver la terre de nos ancêtres ?

«Il y a trois enveloppes chez Jacques Chirac : une première, extérieure, c'est son image ; la deuxième, c'est le Chirac au quotidien, gros travailleur, méticuleux ; et une troisième, secrète, son noyau dur dans lequel il cache ses blessures, ses passions pour les arts premiers, sa spiritualité[2].»

Son ami Christian Deydier est un des rares à avoir côtoyé la troisième enveloppe. Il connaît cet homme côté yin mais aussi côté yang. Des souvenirs avec Jacques Chirac, il en a plein la tête, en France, en Asie, dans un musée de Shanghai, devant les meilleurs archéologues chinois, «les meilleurs du monde» : «Ce jour-là, nous frôlons l'incident diplomatique parce que le président n'est pas d'accord sur la datation d'un bronze "cochon". Il affirme que ce bronze date du XIIe siècle avant Jésus-Christ alors que le directeur du musée prétend qu'il est du XIe siècle avant notre ère. La

---

1. En ouverture de l'assemblée plénière du IVe Sommet de la Terre le 2 septembre 2002.
2. Entretien de l'auteur avec Jacques Toubon, janvier 2016.

discussion est vive. Je demande alors si le président peut prendre l'œuvre dans ses mains sans mettre les gants pour sentir son énergie. Je réussis finalement à calmer la passion des archéologues en leur expliquant que celui qui avait daté l'objet était mort quelques jours auparavant et qu'il pouvait contredire son diagnostic. Nous nous en sommes sortis comme ça[1]...»

Jacques Chirac est devenu, le plus discrètement du monde, un des meilleurs experts de bronzes chinois sans qu'aucun Français ne le sache. Parfois, il appelle son ami Deydier à sept heures du matin pour lui demander son avis sur une céramique Song ou un conseil sur une pièce rare, c'est devenu comme un jeu entre eux. «Il est comme ça, passionné, curieux, il a un petit côté enfant gâté, il veut la réponse tout de suite... Et puis, une fois satisfait, il vous oublie pendant quelques mois, parce qu'il a autre chose à faire de plus important. Cela ne m'a jamais gêné, je n'ai jamais fait partie de ceux qui le harcelaient, cela avait le don de terriblement l'agacer. Je le laissais revenir et il poussait la porte de ma galerie parce que sa passion était trop forte[2].»

Au fil des années, Christian Deydier est devenu un familier des Chirac, partageant des dîners en famille à l'Élysée. Avec lui, Jacques Chirac arrive toujours à trouver un peu de place dans son agenda pour poser le masque que son statut l'oblige à porter et oublier une heure ou deux les contingences du quotidien. Christian et Jacques sont restés deux gosses amoureux de la vie, prisonniers de leur passion, deux galopins qui s'amusent en donnant

---

1. Entretien de l'auteur avec Christian Deydier, février 2016.
2. Entretien de l'auteur avec Christian Deydier, février 2016.

l'impression de ne jamais se prendre au sérieux. Depuis son départ de l'Élysée en mai 2007, il n'est pas rare de voir Jacques Chirac entrer au 30, rue de Seine, dans la galerie de son ami Christian. Souvent discrètement. Car les deux compères aiment aussi se détendre autour d'une bière, assis à la terrasse du restaurant La Palette, juste en face de la galerie, profitant du soleil et des jolies filles. Des moments de détente auxquels Jacques Chirac a peu goûté pendant sa vie de président. Une amitié où l'on mélange l'érudition et les blagues gauloises, des déjeuners asiatiques où le président savoure des vapeurs ou un canard laqué qu'il affectionne par-dessus tout.

Christian Deydier aime, chez son ami, son œil aiguisé, sa culture, sa façon de serrer des mains, d'aller au contact de l'autre, qu'il soit balayeur ou grand de ce monde. «Mépriser les hauts, repriser les bas», comme disait son grand-père, une petite phrase que le président a fait sienne tout au long de sa vie, impressionné par cette façon d'être hors du commun. Loin des bronzes chinois, il se souvient de leurs virées à la foire de Paris, un moment de dépaysement et de «grandes rigolades, [...] sauf quand il y avait trop de journalistes, et que nous ne pouvions approcher les stands pour parler avec les vraies gens. Jacques Chirac aimait ces moments, il ne faisait jamais semblant[1]». Il y a chez lui beaucoup de légèreté, une sorte d'insouciance, une envie permanente de croquer la vie dès qu'un moment de liberté lui ouvre les bras, alors que, simultanément, il doit prendre des décisions graves pour la France, préparer un G20, éliminer un adversaire politique, conclure un accord commercial, envoyer des troupes combattre à l'autre bout

---

1. Entretien de l'auteur avec Christian Deydier, février 2016.

du monde, bref, faire le «job» de président G20, comme disent les Américains.

Jacques Chirac est un labyrinthe dans lequel on se perd, tant il y a de portes. Ses univers restent cloisonnés, comme des fragments dispersés, tous reliés par un fil invisible : l'amour des autres, venus d'ailleurs, une forme d'humanisme concret, la certitude secrètement enfouie qu'il existe un au-delà, une transcendance, une immensité universelle, dont il cherche inlassablement la cohérence. Pour cerner Jacques Chirac, il ne faut pas penser avec l'esprit de l'*Homo economicus* mais chercher dans un ailleurs lointain. «Ce qui l'attire dans l'art chinois et plus largement dans cette civilisation, c'est, je crois, qu'elle propose une meilleure interprétation du monde. Il y a cette piété filiale chez les Chinois, mais aussi chez les Japonais, que nous avons perdue en Occident. Jacques Chirac est pétri de cette culture parce que l'homme avec lui est toujours au centre[1].» Mais, avouons-le, cette tournure d'esprit, cette manière de penser le monde, ne se voit pas à l'œil nu tant le personnage politique de Jacques Chirac a étouffé tous les autres, tant l'étoffe de sa fonction a caché la beauté de cette âme rare.

Christian Deydier aimerait le voir plus souvent, juste pour lui égayer la vie, comme avant. La dernière fois qu'il est passé rue de Lille, il n'a pas pu le voir. «Le président est grippé», lui a-t-on expliqué sur le pas de la porte. Alors il a fait demi-tour, a mis sous son bras ses souvenirs innombrables et son amitié sans faille, des images si fortes qu'elles sont gravées en lui à jamais. Comme cette scène incroyable quand on connaît la puissance de la Chine.

---

1. *Ibid.*

Nous sommes en 2009, Jacques Chirac n'est plus président de la République mais, dans l'empire du Milieu, on continue à l'honorer comme le chef d'État d'une grande puissance. Rien n'est trop beau pour lui. Ce jour-là, le président chinois le convie à un déjeuner dans les jardins du Palais impérial pour midi et demi. Un privilège accordé à quelques invités de marque. Jacques Chirac est en retard. Il a flâné à l'hôtel sans trop se préoccuper des horaires, oubliant les lourdeurs du protocole. Les convives s'impatientent, le président chinois a très rarement l'habitude d'attendre, c'est d'ailleurs souvent l'inverse, on vient à Canossa pour parler à l'homme le plus puissant de la planète et on accepte poliment d'attendre dans l'antichambre... Après avoir traversé Pékin en trombe, escortés par des motards, Jacques Chirac et Christian Deydier pénètrent enfin dans le jardin avec vingt-cinq minutes de retard. Autant dire une éternité. Le président Hu Jintao est debout, souriant, heureux d'accueillir ce vieil ami de la Chine. Quelques mots de bienvenue pour détendre l'atmosphère et cette phrase qui pour les Chinois sonne comme la plus belle des décorations : «*Lao pengyou*», lui dit-il devant des convives debout derrière leur chaise. Cela signifie : «Mon vieil ami», autrement dit : «Vous êtes un sage, un grand homme, vous êtes des nôtres.» Les yeux de Christian Deydier brillent lorsqu'il raconte cette anecdote, car son ami Chirac est ce jour-là entré dans l'histoire de la Chine pour l'éternité...

Daniel regarde l'agenda comme chaque jour. Le nom d'Anne Kerchache est écrit au feutre noir. Un carnet de rendez-vous qui s'est considérablement allégé. Le président reçoit peu. Parfois, on annule tous ses rendez-vous parce qu'il n'a plus la force, plus l'énergie dans le regard pour tenir les échanges avec ses visiteurs. Claude les sélectionne avec soin.

Anne Kerchache a marché jusqu'au bureau de «Jacques», comme elle l'appelle. Elle habite à quelques pas. Le mois de juin est gris cette année. À ses côtés, Maïa et Deborah, ses deux filles. Quand ils passaient leurs vacances ensemble, Jacques Chirac les appelait « mes mouettes». Les deux enfants sont devenues adultes. Elles ont demandé à leur mère de rendre une visite à Jacques Chirac qu'elles aiment comme un père.

Anne Kerchache est une femme de caractère, d'origine sénégalaise et vietnamienne. En l'épousant en octobre 1980, Jacques Kerchache embrasse les deux continents qu'il aime par-dessus tout : l'Afrique et l'Asie. Vivre aux côtés de Jacques Kerchache est une aventure de tous les instants. Anne s'immerge dans l'univers foisonnant de son mari, partage ses passions, ses rêves et ses exubérances. Elle participe à la création du musée du Quai Branly. Des nuits de travail pour élaborer l'ordonnancement des salles, leur dimension, la place des œuvres. «S'il m'arrive quelque chose, je te demande de veiller sur mes filles et sur ma femme», avait demandé Jacques Kerchache à son ami Chirac. Il a tenu parole. Il est resté très proche des filles, qui lui ont souvent rendu visite à l'Élysée. Elles font partie de la famille. Gamines, elles s'amusaient à lui envoyer par courrier des blagues qu'elles avaient dénichées, pour amuser le président.

En 2006, Anne reçoit la Légion d'honneur des mains de son ami. Il lui ouvre en grand les portes de l'Élysée. Elle peut inviter le nombre de personnes qu'elle souhaite. «J'ai préparé un grand discours», lui dit-il, ravi à l'idée de parler d'autre chose que de politique, devant un public réceptif à sa passion pour les arts premiers. Anne préfère finalement une cérémonie intime. Dans le grand salon d'honneur, ils ne sont que quatre autour d'elle et du président : ses filles, Deborah et Maïa, Bernadette Chirac et Claude, qui rejoindra le groupe en cours de cérémonie. Le président lui a réservé une surprise. Pour la première fois, des œuvres d'art premier ont été disposées dans le grand salon, transformé provisoirement en musée. Elles sont la mémoire vivante de son ami Jacques Kerchache, comme s'il voulait prolonger le fil du dialogue rompu brutalement à sa mort. Le petit groupe déambule parmi les masques et les sculptures africains. Anne est fière et heureuse, le président tout à sa joie de plonger dans ce qui l'habite depuis si longtemps. Ils sont en communion.

Anne, Deborah et Maïa poussent la porte du bureau de Jacques Chirac rue de Lille. Le président est assis dans son fauteuil. On s'embrasse comme avant, lorsqu'on se retrouvait pour les vacances et que l'on savait que les jours allaient être doux et heureux. Mais maintenant, les silences sont pesants. Daniel est aux côtés du président. Il fait le lien, pose des mots sur les silences qui envahissent le bureau. Chacun raconte sa vie dans un long monologue ininterrompu. «Les mouettes» du président sont heureuses et bouleversées de l'avoir revu.

3

LIGNE DE FUITE

L'enfance est le sol sur lequel
nous marcherons toute notre vie.

LYA LUFT

Jacques Chirac s'épanche peu sur sa vie personnelle.
Même avec Daniel qui partage ses journées et parfois
ses soirées, l'homme n'ouvre que très rarement les portes
de son intimité. On le dit angoissé, homme méticuleux, ne
négligeant aucun détail, presque «pinailleur», prétendent
certains de ses collaborateurs qui ont partagé ses réunions
à l'Élysée, à l'image de l'enfant de huit ans qui veut «tout
bien faire» pour surtout ne pas décevoir ses parents. Il
y a de ça chez Jacques Chirac, donnant l'impression de
cacher je ne sais quel secret enfoui, offrant de lui l'image
d'un personnage étrange et paradoxal, déchiré entre ses

ambitions dévorantes, ses deux « premières enveloppes[1] », incarnées par son désir de convaincre et de réussir, et « sa troisième enveloppe », son noyau dur, renfermant sa boîte à secrets, dans laquelle se cachent ses forces et ses faiblesses.

Pour tenter de comprendre Jacques Chirac, il faut d'abord déchiffrer les messages que nous envoie son corps, des messages codés qui font remonter à la surface quelques bribes de son inconscient, comme cette jambe sous le bureau qui gigote sans trop savoir pourquoi, pendant une réunion, avant une prise de parole en public ou lors d'une émission de télévision. Ausculter ensuite ses agacements, ses *mains* qui s'enroulent entre elles, faisant de drôles d'arabesques, son langage saccadé qui a fait le succès de sa marionnette aux « Guignols de l'info » sur Canal +. Ses ennemis politiques ont décelé cette fragilité, ils le piquent là où ça fait mal : « L'image de ce garçon souffre du tranchant de son expression, d'une certaine pauvreté de son vocabulaire, de ses stéréotypes de langage[2]. » Il a cette façon de traverser la vie comme un hyperactif, de ne jamais s'arrêter, de tout dévorer trop vite, trop mal : les femmes, la nourriture, alors que son intériorité le pousse au silence et à l'étude. Son image lui colle à la peau. Pour François Mitterrand, « si Chirac voyage tant, le pauvre, c'est qu'il ne veut pas rester en tête à tête avec lui-même, il n'a rien à se dire, ce type est vide, complètement[3]... » Des mots

---

1. Entretien de l'auteur avec Jacques Toubon, février 2016.
2. *La Tragédie du président – Scènes de la vie politique 1986-2006*, de Franz-Olivier Giesbert, Flammarion, 2006.
3. *Les Mots du président – Mitterrand le cynique*, de David Genzel, François Bourin, 2005.

blessants prononcés pendant la campagne présidentielle de 1988, à la guerre comme à la guerre...

Chirac serait donc une coquille vide, qui roule en permanence sur elle-même... «Il a beaucoup joué avec cette image, il en a même fait une stratégie de communication[1].» Malgré la férocité des mots de François Mitterrand, il avait senti chez Jacques Chirac son envie de fuir... Mais quoi au juste ?

Pour percer son armure, il faut revenir à l'intime... Devenu président de la République, Jacques Chirac est victime d'extinctions de voix, toujours à la même période, au mois de novembre. Imaginez la panique dans le Palais, car un président qui n'a plus de voix, c'est un président au chômage technique... La scène se répète plusieurs années de suite, quelle que soit la qualité des hôtes présents. Le président a beaucoup de mal à prononcer le moindre mot. Examens, médications, tisanes, rien n'y fait, et le président reste muet ou presque. Personne n'arrive à comprendre. Il faut toute la psychologie de l'équipe médicale pour diagnostiquer la cause, sans d'ailleurs trouver de solution. En questionnant le président, on découvre que la période où il perd sa voix coïncide toujours, à peu de chose près, avec la date de la mort de son père, comme si, confusément, le subconscient du président prenait le dessus, faisant ressurgir les non-dits, les ultimes mots d'apaisement et de réconciliation que les deux hommes n'ont pas eu le temps de se dire, comme si de l'au-delà son père continuait à lui envoyer des messages. Jacques Chirac parle peu de son père, quelques privilégiés ont eu le droit de voir une photo. Jean-Claude Lhomond, son chauffeur

---

1. Entretien de l'auteur avec Jean-Louis Debré, juin 2016.

pendant presque trente ans, en fait partie. De la pudeur ou du désintérêt, car les relations entre le père et le fils ne sont pas bonnes, ne l'ont jamais été. Il est un père autoritaire, ne supportant pas la contradiction de son rejeton. Abel-François, qui depuis la Seconde Guerre mondiale se fait appeler François, prodigue à son fils une éducation stricte. Il s'illustra pendant la Première Guerre mondiale et fut décoré de la croix de guerre. On le décrit comme un homme blessant, brutal dans ses mots. Jacques, son fils unique, n'est jamais à la hauteur de ses ambitions, il ne fait jamais assez bien. Car François Chirac a réussi une bien belle carrière. Après la Première Guerre mondiale, il quitte sa salle de classe, ses craies et son tableau noir, pas à la hauteur de ses ambitions, pour devenir banquier. D'abord à Brive, puis à Paris comme employé à la Banque nationale du crédit, il devient ensuite directeur de l'agence de la Grande Armée.

Parmi ses gros clients, il y a Henry Potez et Marcel Bloch, qui ne s'appelle pas encore Dassault. Les deux ingénieurs inventent l'hélice aérienne Potez-Bloch, baptisée «hélice Éclair». À partir de 1917, elle va équiper la majorité des avions alliés, qui jouèrent un rôle déterminant dans la victoire contre les Allemands. François Chirac les conseille si bien, lors des nationalisations de 1936, qu'Henry Potez décide de l'embaucher et le propulse directeur général du groupe Potez. Les Chirac changent de monde. Ils quittent leur logement du 1 de la cité Condorcet, dans le 9e arrondissement, pour habiter les beaux quartiers de l'Ouest parisien. Ils mènent grand train, reçoivent dans leurs appartements, avec des domestiques pour servir le dîner. C'est à cette période que Marcel Bloch repère le petit Chirac, dont il décèle les qualités. À partir de cette époque se crée une relation quasi filiale entre l'avionneur et le jeune Chirac.

François rêve d'un fils prodige. Lui qui est si fier de sa promotion sociale l'imagine major à Polytechnique, ce qui serait pour lui la consécration. François Chirac est un père d'une autre époque, passionné de chasse et de femmes, à qui personne ne doit résister. Le futur président ne gardera de lui que la seconde passion. Ce fils sous l'emprise de ce père est obligé d'apprendre ses leçons par cœur et se transforme en «petit singe savant». Chaque soir, la même scène se répète, au grand désespoir du petit Jacques. Cette éducation à la dure va le brider et le façonner.

Ce sont probablement les vestiges de cette enfance qui ont contribué à rendre le président si mal à l'aise lorsqu'il doit faire un discours officiel ou lorsqu'il est en représentation. Autant il sait se montrer détendu quand il échange dans l'intimité, autant il se fige, raide et parfois «cafouilleux», quand il se trouve devant des caméras ou tout simplement devant des journalistes. On lui reproche son débit, cette façon si particulière de parler en bougeant exagérément ses maxillaires, ce que tout le monde a perçu sans en imaginer les causes. Nous sommes tous le fruit de notre éducation, Jacques Chirac plus que quiconque.

«Jacky», comme l'appelle affectueusement sa mère, est – pour reprendre une expression de Jean-Pierre Chevènement qui a fait couler beaucoup d'encre à l'époque – un «sauvageon», version galopin des années 1950. Il aime la liberté, déteste les contraintes que lui impose son père, adore marcher pieds nus, une sorte d'enfant sauvage qu'il restera toute sa vie. Mais Jacques Chirac est aussi un enfant gâté par la vie qui, avec le recul du temps, lui a plutôt souri. « Enfant gâté », une expression qui revient souvent dans la bouche de ceux qui l'ont côtoyé, ceux qui ont travaillé quotidiennement avec lui, comme Bernard Courant, son garde du corps jusqu'en 1993. Spontanément, il parle d'un homme généreux, disponible, toujours à l'écoute de leurs problèmes, mais travailler pour « le Grand », c'était accepter de donner sa vie : « Vous savez, on a beaucoup donné à Jacques Chirac, nous avons donné notre vie, brisé nos couples. Vivre à ses côtés, c'était du 100 %. Nous l'avons fait parce que nous l'aimions, parce qu'il n'était pas comme les autres[1]... »

Mais revenons à son enfance... D'un côté, ce père peu aimant, exigeant, jamais à la maison, toujours en déplacement pour son travail qui l'absorbe, et de l'autre, Marie-Louise, une mère aux petits soins pour cet enfant qu'elle couve, qu'elle surprotège à l'excès. Jacky est un petit prince dans son royaume. Mais ce que ne sait pas le petit Jacky, c'est qu'un drame familial pèse sur ses épaules, un voile noir qui obscurcit son horizon. Quelque chose que l'on ne dit pas, que l'on cache, mais que l'on ressent fortement.

Une dizaine d'années avant sa naissance, le couple Chirac perd une petite fille. Elle s'appelle Jacqueline, elle naît le 9 juin 1922 et meurt deux ans plus tard, emportée par une maladie pulmonaire. Un drame fondateur, qui fait basculer la vie des Chirac... Pour le couple, cette perte est d'une violence indicible, destructrice. François et Marie-Louise s'accrochent, le couple tient tant bien que mal. Ils vont devoir s'armer de patience avant d'accueillir un nouvel enfant. Pendant plusieurs années, rien ne se passe

---

1. Entretien de l'auteur avec Bernard Courant, janvier 2016.

comme ils l'auraient voulu : Marie-Louise fait une fausse couche, puis une septicémie la terrasse, ce qui repousse un peu plus loin encore son rêve de maternité qui semble être devenu un désir inatteignable. Mais le 29 novembre 1932, miracle : Jacques Chirac arrive au monde dans une clinique huppée du 5e arrondissement de Paris. Sa naissance vient conjurer le sort.

Un an plus tard, le 11 juin 1933, alors que ses parents habitent dans le 9e arrondissement de Paris, il est baptisé dans la chapelle de l'église Notre-Dame-de-Lorette, un joyau de l'art néoclassique, là où ont été baptisés avant lui le compositeur Georges Bizet et le peintre Claude Monet. Autour du baptistère, son parrain, le colonel Valette, et sa marraine, Marguerite Valette, l'épouse de l'officier, qui ne représentent qu'un côté de la famille de Jacques. Car chez les Chirac et notamment chez le grand-père paternel, on est plus connu pour « manger du curé » à chaque repas que pour sa ferveur chrétienne.

Mais l'histoire s'est-elle écrite de cette manière ? Dans les années 1990 sort un livre, *Les Vertes Années du président*[1], écrit par Michel Basset, un ami d'enfance de Jacques Chirac, présenté comme le journal intime de sa mère, une très bonne amie des Chirac. Il le reconnaîtra plus tard, Michel Basset a fabriqué son livre en ne s'appuyant que sur ses propres souvenirs. Son frère et sa sœur ont refusé de lui donner accès au journal intime de leur mère, ce qui réduit sa thèse à néant ou presque.

Néanmoins, Michel Basset révèle que Marie-Louise ne serait pas la mère biologique de Jacques Chirac, sans en apporter la moindre preuve. Pour donner corps à ces

1. Livre publié aux éditions Daniel Filipacchi, 1996.

révélations, il explique que Marie-Louise, après le décès de Jacqueline, fut frappée par une septicémie l'empêchant définitivement d'avoir un enfant. Preuve pour Michel Basset que Jacques Chirac ne serait pas le fils de Marie-Louise. Cette thèse sera reprise quelques années plus tard dans un roman à clé d'Éric Zemmour, *L'Autre*[1]. Sous les traits de François Marsac se cache Jacques Chirac. Albert Riedel n'est autre que Michel Basset. Sous la plume d'Éric Zemmour, Riedel, qui se sent trahi par son ami, veut se venger en publiant le journal intime de sa mère :

« "Alors comme ça, ma mère aurait fait des confidences à la tienne ? Des histoires de bonnes femmes. Si j'ai bien compris : des ligatures de trompes, tout ça. Et je ne serais pas le fils de ma mère ! Mais où as-tu pêché des conneries pareilles ?

– Je l'ai reconstitué, mais c'est la vérité, tu le sais très bien.

– C'est bien ce qui me semblait, ce n'est pas ta mère qui a écrit ce journal et tu as inventé des conneries pour me nuire.

– Je n'ai rien inventé du tout. Mais toi, tu me harcèles depuis des mois, j'ai des flics aux trousses, les salauds.

– Comment peux-tu inventer une chose pareille ?" »

Ni Jacques Chirac ni son entourage ne réagiront à ces révélations. La rumeur va s'éteindre et disparaître rapidement des mémoires.

Dans la chapelle des baptêmes de l'église de Notre-Dame-de-Lorette, Jacques Chirac est un nourrisson qui, pour ses parents, est un don du ciel, une sorte de héros idéalisé, les psychologues appellent cela une « projection

---

1. *L'Autre* est édité chez Denoël en 2004.

fantomatique». Quels que soient le bonheur, la joie de sa mère, il y aura toujours Jacqueline, cette autre, une forme invisible, planant au-dessus de la vie de Jacques Chirac comme une ombre portée, qui dès sa naissance et sans le savoir porte un poids beaucoup trop lourd pour ses frêles épaules de nourrisson.

Car la mort de sa sœur n'a pas liquidé son souvenir, elle est là et vient hanter les survivants. Elle s'appelait Jacqueline, ils l'appellent Jacques, comme pour raviver la flamme de sa mémoire, pour que Jacky vive éternellement avec sa sœur défunte. Voilà pourquoi le vrai Chirac, confusément, sans connaître les causes de ce mal profond qui l'étreint, souffre en silence, donnant l'impression d'être tenaillé par des forces qui le submergent. On lui épargne tout, ses moindres désirs sont comblés avant qu'il ait pu ouvrir la bouche. Naît alors une relation fusionnelle entre un fils et une mère, enroulée dans le deuil de Jacqueline.

Dès son plus jeune âge, Jacky développe donc une double personnalité : à la fois insupportable à l'image d'un enfant gâté, façonné par une mère débordante d'amour, et soumis, respectueux de la règle que lui impose une force supérieure, celle de son père contre laquelle il ne peut pas lutter. Une bataille intérieure entre ces deux forces dessine le caractère de Jacques Chirac. Une ambivalence qu'il va garder toute sa vie et qui, à certains égards, peut expliquer une partie de ses choix ou de ses silences. C'est à la fois une force et un fardeau, avec cette contradiction irrésolue : celle de vivre libre sans jamais réellement être capable de briser les liens qui l'étreignent. Il est comme le mouvement d'un balancier qui jamais ne s'arrête, qui jamais ne choisit et qui oscille en permanence. Alors le petit Jacky va chercher, avec ses armes, à élucider ce mystère qui lui a échappé dès sa naissance et qui plane au-dessus de sa tête.

La lettre que Jacques Chirac écrit à sa mère en 1943 – il est alors âgé de onze ans –, dévoilée pour la première fois en juin 2016, pour les dix ans du musée du Quai Branly, révèle au grand jour cette dualité qui l'imprègne. D'une belle écriture, de celui qui s'applique, le fils aimant souhaite une jolie fête des Mères à sa maman. Avec son père, dit-il, il lui offre « un sac », mais l'enfant lui dit bien plus : « Je t'offre aussi, mais c'est de moi tout seul, la promesse de faire mon possible pour me corriger de mes défauts, ce qui n'est pas facile, tu dois t'en douter. » À la fin de cette lettre, il embrasse sa maman de toutes ses forces. Jacques Chirac à la fois soumis à la puissance des femmes tout en cherchant à s'en libérer. Échapper à celle de sa mère Marie-Louise, dotée, dit-on, d'un petit brin de caractère, et de toutes les autres qui, plus tard, baliseront sa longue route, pas celle d'une tocade, mais celles qui vont compter dans sa vie, face auxquelles il redevient un enfant : Marie-France Garaud ; Bernadette, son épouse et sa rivale ; Claude, sa fille, qui au fil des années passera du statut de fille cadette à celui de mentor, de vestale protectrice ; et Laurence, « le drame de sa vie », sa protégée.

Jacques Chirac naît donc dans ce climat de deuil, condamné à fuir ce destin tragique, à se défaire de ce fantôme et se délivrer de cette pression maternelle pour enfin vivre sa vie. Mais laquelle ?

Une grande partie de son parcours se comprend à l'aune de ce huis clos familial, ses traits de caractère, un grand nombre de ses choix politiques en découlent sans que lui-même en soit véritablement conscient. Ces révoltes parlent de lui, celles du petit contre le grand, contre celui qui abuse de son autorité. Un sentiment vif qui le transperce dès l'enfance. Son combat contre les injustices qu'il va projeter sur le mur de ses ambitions et qui se diluera sous les contraintes du métier.

Son enveloppe est celle d'un énarque ambitieux métamorphosé en requin de la politique, sachant manier la langue du technocrate. Mais, par résurgence, cette révolte venue des profondeurs de son enfance affleure par intermittence à la surface de son existence. Parfois, il choisit de prendre la tangente. Dans la nuit du 28 au 29 novembre 1974, vers trois heures du matin, le Premier ministre qu'il est alors réussit à faire plier une partie de sa majorité, réticente voire hostile à voter la loi sur l'IVG.

Toute sa vie, il défendra les personnes handicapées dont personne ne s'occupe ; il sera la voix des peuples oubliés, des sans domicile fixe pour lesquels il crée, avec Xavier Emmanuelli, le Samu social. Parfois, très rarement, sa révolte devient colère. Comme ce jour où il s'emporte dans les rues de Jérusalem, hurlant contre le chef de la sécurité israélienne parce que ses hommes l'empêchent de parler avec les Palestiniens installés dans la vieille ville. L'image fera le tour du monde... Des moments qui sont des petits cailloux laissés sur la route par Jacques Chirac, qui racontent cette façon de ne jamais considérer l'évidence comme une certitude.

Toute sa vie, Jacques Chirac portera son enfance sur son dos. Dans sa besace, il y a beaucoup de rêves ; celui de partir à la conquête du monde, comme une sorte d'évitement de soi-même. S'éclipser loin pour oublier, avec ce besoin perpétuel de mouvement, d'images, de sensations. Adolescent, il n'a pas encore la possibilité de fuir son quotidien, alors il s'évade à sa manière, grâce à un homme qui va bouleverser sa vie. Il se nomme Vladimir Belanovitch.

Ce Russe blanc est né le 15 mai 1884 à Taganrog, une ville portuaire sur la mer de Crimée. Il fuit le communisme en 1917, comme des milliers de Russes blancs. « Vladi » entame alors un long voyage avant d'arriver en France. À Odessa, en 1918, il se marie avec Ludmila, une fille de bonne famille qui restera à ses côtés jusqu'à sa mort. Un an après, en novembre 1919, on retrouve sa trace à Téhéran, puis il rejoint la Roumanie avant de poser ses bagages en France, en novembre 1929. Sur les documents officiels de l'Agence française de l'immigration, l'ancêtre de l'OFPRA, qui enregistre l'identité de ces milliers de Russes, Vladimir Belanovitch se présente comme « gérant du consulat russe de Bouchir », une ville portuaire au sud de l'Iran. Il déclare parler cinq langues : le russe, le turc, le persan, l'arabe et le sanskrit.

Sa vie est un vaste roman d'aventures dans lequel se plonge à corps perdu le jeune Chirac. Vladimir Belanovitch fut l'un des ambassadeurs du tsar Nicolas II, envoyé en mission aux confins de l'Empire russe, une sorte de diplomate espion, à une époque où le cheval est le seul moyen de locomotion. Cet aventurier polyglotte, immensément cultivé, a quitté la Russie baluchon sur son dos.

En France, il survit en devenant manœuvre spécialisé puis exerce le métier de maquettiste anatomique. Le choc est rude pour Vladi. Alors, pour briser son ennui et son enfermement social, il donne des leçons de russe et de sanskrit aux jeunes gens des beaux quartiers. Après guerre, il initie le jeune Chirac et lui transmet la passion de l'âme slave, des grands espaces, ces immenses territoires conquis par des peuples nomades, assoiffés de conquête. Tout ce qu'il aime... Tout ce qu'il défendra plus tard. L'école et ses règles contraignantes, l'autorité des professeurs l'ennuient, l'agacent; avec Vladimir, il apprend la vie. L'élève Chirac, turbulent, un brin chahuteur, se fait d'ailleurs renvoyer du lycée de Saint-Cloud pour une histoire de lance-pierre, qui n'est pas l'instrument le plus approprié dans une cour d'école. Secrètement, il est habité par d'autres aspirations, beaucoup plus spirituelles. Déjà, il voit plus loin que les autres et rêve d'ailleurs.

Dans la vie du jeune Chirac, Belanovitch joue un rôle décisif. Il n'est pas seulement son professeur de russe, il est bien plus encore, il lui ouvre les portes d'une autre vie. Jacques Chirac essaie d'abord d'apprendre le sanskrit, pour mieux comprendre l'hindouisme, mais, après plusieurs mois d'un apprentissage fastidieux, il cale devant la difficulté de cette langue, sûrement l'une des plus ardues au monde. Il se lance alors avec succès dans celui du russe. Jacques Chirac traduit les grands auteurs, tel Pouchkine, dont les écrits lui renvoient sa propre image: «Enivrez-vous, en attendant, amis, de cette vie légère. Je sais qu'elle a peu de valeur et n'y tiens pas outre mesure. J'ai dit adieu aux illusions; mais de lointaines espérances viennent parfois troubler mon cœur[1].» Bref, amateur de femmes, homme libre s'il en fût, l'âme slave par excellence.

Une fois adulte, il tentera même de publier *Eugène Onéguine*, qu'il connaît depuis l'adolescence, sans succès. Un manuscrit que personne n'a jamais réussi à voir.

Doucement, ce précepteur, érudit et séduisant, intègre le domicile familial des Chirac jusqu'à passer ses vacances en Corrèze. Il est à la fois un maître et un confident, son

---

1. *Eugène Onéguine*, de Pouchkine.

directeur de conscience qui le guide dans ses choix de lecture, lui fait découvrir les richesses de l'Orient que peu d'Occidentaux connaissent à cette époque. Belanovitch lui offre le plus beau des cadeaux, celui de la curiosité et de la soif d'apprendre. Quand Jacques Chirac dévore du regard *L'Art des steppes*[1], un livre qui l'accompagnera tout au long de sa vie, le fantôme de Belanovitch est là, il l'aide à tourner les pages de ce bel ouvrage qui exhume des œuvres d'art venues de provinces reculées, situées entre la mer Noire et la Chine.

Dans un avion, lors d'un déplacement présidentiel, Jean de Boishue[2] se souvient d'avoir eu le malheur de dire du mal des Mongols : « Jacques Chirac m'a répondu du tac au tac que c'était un grand peuple. Il était fasciné par ces aventuriers qui passaient leurs journées à cheval dans la steppe[3]. »

Jean de Boishue, ancien ministre et secrétaire d'État, cadet de Jacques Chirac de onze ans, a lui aussi bien connu Vladi. Lorsqu'il avait dix ans, il écoutait les histoires merveilleuses que lui racontait ce vieil homme, qui finissait sa vie dans le plus grand dénuement à la maison de retraite de Sainte-Geneviève-des-Bois. Une pension longtemps dirigée par sa mère, où l'on accueille, encore aujourd'hui, après un siècle, les descendants des réfugiés russes. Il garde précieusement avec lui l'icône que lui a confiée Ludmila après la mort de son mari, le 19 juin 1960.

---

1. Karl Jettmar, Albin Michel, 1965.
2. Secrétaire d'État chargé de l'Enseignement supérieur dans le premier gouvernement Juppé, en 1995, sous la présidence de Jacques Chirac. Ancien député RPR de l'Essonne.
3. Entretien de l'auteur avec Jean de Boishue, septembre 2016.

Près de soixante ans plus tard, c'est leur Vladimir, qu'ils ont connu chacun de leur côté, qui les réunit devant sa tombe au cimetière russe de Sainte-Geneviève-des-Bois. «Par respect pour sa mémoire et pour tout ce que cet homme nous a apporté dans notre vie, nous avions décidé de restaurer sa sépulture et à cette occasion d'organiser une cérémonie[1].» En février 2013, c'est un Jacques Chirac affaibli et ému qui se recueille sur la tombe de l'homme qui lui a ouvert les portes du monde. Toute sa vie défile à cet instant, sa quête des grands espaces et son insatiable goût de la liberté. Son ami Haïm Korsia, futur grand rabbin de France, lit la prière des morts des juifs, et Jean de Boishue celle des orthodoxes. Jacques Chirac reste un long moment devant la pierre tombale en s'adressant à son professeur : «Je suis content de te voir…! […] Au revoir, Belanovitch!» lui dit-il avant de quitter le cimetière, le visage fermé. Quelques instants plus tard, fidèle à la tradition russe qui consiste à boire de la vodka à la santé des morts dans le cimetière même, il se retourne en disant : «Et maintenant, Jean, on va boire!»

Mais que cherche-t-il au juste? Dès l'adolescence, cette impression de fuite ne masque pas du vide, mais une profonde quête de lui-même. Quelques années plus tard, en 1950, Jacques Chirac a dix-huit ans, son bac en poche décroché avec une mention assez bien, il sent qu'il faut prendre un autre chemin, s'éloigner du cocon maternel, loin de la sévérité de son père, loin du fantôme de sa sœur Jacqueline, loin de la route que l'on trace pour lui. Grâce à une relation de son père, il embarque à Dunkerque, sur un navire de marine marchande. François est persuadé

---

1. *Ibid.*

que la tocade de son fils va faire long feu, alors il lui offre cette récréation. Trois mois comme pilotin sur le *Capitaine Saint-Martin*, un navire charbonnier qui fait la liaison entre Dunkerque et l'Algérie. Il rêve d'aventures, le voilà servi... Il fume la pipe et goûte avec délice à la vie rude des marins en partageant leurs manières rustiques. Lors d'une escale en Algérie française, le jeune Chirac découvre les joies de la vie dans la casbah d'Alger « où les nuits ne durent qu'un quart d'heure[1] ».

Trois mois plus tard, fin de l'aventure. Le *Capitaine Saint-Martin* accoste au Havre. Sur le quai, François regarde descendre son fils sur la passerelle, baluchon sur le dos, et rejoindre la terre ferme. Il est devenu un homme libre. Les retrouvailles sont tendues, en quelques phrases tranchantes son père brise ses élans vers les grands espaces. Trois mois plus tard, le jeune Chirac est enfermé dans une salle de classe, il vient d'intégrer une hypokhâgne mathématiques supérieures au lycée Louis-le-Grand pour préparer les concours des grandes écoles. La fin d'un rêve pour le jeune Chirac, incapable de se défaire de la pression paternelle ; on n'échappe pas comme cela à son destin. Un père qui le marque au fer rouge, une mère qui l'oppresse.

Un troisième personnage joue un rôle décisif dans la construction du jeune Chirac : son grand-père paternel Louis Chirac. Instituteur corrézien, c'est un colosse qui mesure deux mètres. Il fut l'un de ces « hussards noirs » de la Troisième République, un homme de caractère, cultivé, respecté et écouté. Radical de gauche, franc-maçon, vénérable de la Loge mais aussi chevalier de la Légion d'honneur, il est désigné par le pouvoir comme « un bleu

---

1. Paroles de « Lorelei », écrites par Hubert-Félix Thiéfaine.

très près de virer au rouge ». Il fut d'abord maître d'école à Sainte-Féréole – une petite ville au sud de la Corrèze, le fief des Chirac – où le jeune couple Chirac passera ses premières années de vacances, au grand désespoir de Bernadette, plus habituée aux châteaux et aux belles demeures.

Le mystère de Jacques Chirac prend sa source loin de Paris, loin de l'Élysée, très loin des beaux quartiers de la capitale. Ses racines sont en Corrèze, au milieu de la nature et des grands espaces sauvages, vastes comme ses envies de voyage. Lors d'un dîner privé en février 2015, alors que le président semble absent – sans que personne ne lui demande quoi que ce soit –, des souvenirs d'enfance remontent à la surface. Le président se met soudain à parler des parties de pêche aux écrevisses avec son grand-père, dans les eaux cristallines des rivières corréziennes, les espadrilles sur la berge et le pantalon relevé aux genoux. Ses yeux brillent de bonheur... Autour de la table, les convives se sont regardés. Surpris par ce saut de soixante-quinze ans en arrière, étonnés, presque émus qu'il ait pu conserver intact ce souvenir venu de si loin. Comme si, à travers le tamis du temps, sa mémoire n'avait conservé que les meilleurs instants.

Mais que lui a donc transmis ce grand-père ? Une énergie vitale venue des profondeurs de la terre, une sorte de fluide magique, qu'il conservera toute sa vie comme un talisman protecteur. Il aime la terre et ses odeurs, et ceux qui suent pour la cultiver. Il reste, encore aujourd'hui, le ministre de l'Agriculture le plus apprécié du monde agricole de toute la Cinquième République. De son grand-père, il garde également une façon de penser la vie, quelque chose d'invisible, une sorte d'étoffe rustique faite d'humanité, de rigueur et d'autorité, des qualités dans lesquelles Jacques

Chirac se drapera toute sa vie. Quelques photos en noir et blanc sont les témoins de cette complicité. On y voit un homme grand pour l'époque, comme le deviendra son petit-fils. Le maître d'école porte beau : un grand manteau ajusté, en dessous un complet et une cravate en soie, coiffé d'un feutre impeccable. Louis a un visage en lame, sévère mais rassurant. Dans ses bras, son petit-fils, Jacques Chirac. La photo a probablement été prise en hiver car il porte un béret noir bien enfoncé sur sa tête, un caban de la même couleur et un short noir, qui dévoile deux longues jambes blanches. La Corrèze façonne Jacques Chirac, le nourrit de paysages, d'odeurs, de sensations, d'énergies puissantes que cette terre recèle. La Corrèze, c'est aussi un réseau puissant d'entraide, appelé le « plaçou », un synonyme du mot clientélisme dans le patois limousin consistant à distribuer des emplois publics ou semi-publics à des Corréziens arrivant à Paris.

En 1940, c'est l'exode, les Français partent sur les routes. Jacques Chirac a huit ans et ses parents l'inscrivent à l'école élémentaire de Sainte-Féréole. Quelques mois plus tard, la famille quitte la zone occupée et s'installe en zone libre, au Rayol, sur la Côte d'Azur, accueillie dans la propriété des Potez. La famille restera dans ce petit coin de paradis jusqu'à la fin de la guerre.

En 1965, l'enfant du pays devient conseiller municipal de Sainte-Féréole ; deux ans plus tard, envoyé par Georges Pompidou et porté par des réseaux et des « parrains » corréziens, qui ne sont pas forcément du même bord politique que lui, il part à la conquête de la troisième circonscription de la Corrèze. Il bénéficie du soutien d'Henri Belcour, l'indétrônable maire d'Ussel, et de la bienveillance d'Henri Queuille, une figure incontournable du département. C'est « un rad-soc » pur sucre, baptisé « le petit père Queuille », vingt et une fois ministre et président du Conseil. Malgré ses appuis, il gagne de justesse l'élection législative de 1967 contre un communiste. Il ne compte pas que des soutiens corréziens. Marcel Dassault, une relation professionnelle de son père, devient l'un de ses mécènes. L'industriel aime Jacques Chirac comme un fils. Il croit en lui. Alors il lui donne les moyens de réussir en lui achetant *L'Essor du Limousin*, qu'il transforme en journal de campagne... La politique lui ouvre ainsi ses bras, qui ne se refermeront jamais. Si Jacques Chirac avait perdu cette élection, il serait sans doute devenu directeur des transports aériens. Pompidou, pour lequel il avait une profonde estime et admiration, lui en avait fait la promesse, une récompense pour bons et loyaux services qui l'aurait enterré à vie, l'obligeant à marcher sur les traces de son père.

***

S'arrêter pour Jacques Chirac, c'est prendre le risque de contempler son désastre, d'affronter ses démons, de perdre pied. C'est peut-être pour cela qu'il avance à grandes enjambées. Avancer toujours, pour ne pas tomber... Mais tout cela, le sait-il lui-même ? Rien n'est conscient, rien n'est dit. Jacques Chirac n'a jamais pris le temps de s'allonger sur un divan pour régler ses comptes avec son passé, avec ses démons, avec son père. Aucun témoignage, aucune confidence ne vient étayer cette hypothèse. Devenu adulte, Jacques Chirac se soigne à sa manière. Personnage boulimique, insatiable provocateur. Dans un tiroir secret, il range ses angoisses, ses doutes et ses névroses, qui prennent le visage de ses passions :

pour les arts venus d'ailleurs, pour les femmes, toutes les femmes, comme des *terra incognita* à conquérir. Jacques Chirac est un homme intérieurement chahuté, écartelé entre deux forces qui se contredisent : « la discipline et la transgression[1] ».

---

1. Revue *L'Histoire*, hors-série « Le cas Chirac », entretien réalisé par Jean-Luc Barré, mars 2016.

Daniel regarde l'agenda. Le président vient de se réveiller. Il ajuste sa veste comme avant, lorsqu'il devait accueillir un chef d'État sur le perron de l'Élysée. Pierre Mazeaud, un fidèle parmi les fidèles, doit passer dans l'après-midi, il veut lui montrer un beau livre sur la montagne, une passion qu'il essaie de partager avec le président qui n'a jamais rien escaladé, sauf les sommets du pouvoir. Si son état l'autorise, il recevra ensuite Alain Juppé, le fils qu'il n'a jamais eu, « le meilleur d'entre nous ». Le maire de Bordeaux est en campagne pour les primaires qui auront lieu en novembre 2016, les sondages le donnent favori à droite, même si Nicolas Sarkozy, celui qui fit, un temps, partie de la famille, n'a pas dit son dernier mot. Ils ne se sont pas vus depuis des années. Lorsqu'on prononce devant lui le nom de Nicolas Sarkozy, cela provoque toujours, chez le président, un certain agacement. La trahison ne s'efface pas comme ça de la mémoire. Bernadette aura cependant réussi à les réunir une seule fois, lors d'un déjeuner en 2009, dans un des restaurants favoris de Jacques Chirac, le Tong Yen, pour régler financièrement une partie de ses déboires judiciaires.

Daniel regarde son téléphone. Haïm Korsia, le grand rabbin de France, vient de lui laisser un message. C'est un habitué des lieux. Il vient quand bon lui semble ou presque, pour voir le président, parler de tout et de rien. Entre deux blagues, quelques anecdotes et des rires, les deux hommes échangent sur les grands mystères de la vie et de la mort, parlent beaucoup de la religion juive. Une relation particulière, spirituelle, presque intime, habite ces face-à-face. Au restaurant – lorsqu'il le pouvait encore –, au bureau, le président et le grand rabbin passent des heures entières à deviser, croiser leurs arguments, approfondir un verset du Talmud, à approcher la vérité du monde. Jacques Chirac, qui ne fut pas croyant au sens catholique du terme, aime ces moments d'étude, de réflexion, une passion inaltérable chez lui. Comprendre les religions, apprivoiser ce qui paraît inaccessible dans tous les domaines de la vie, pour repousser l'angoisse de l'ultime moment...

Un rayon de soleil a réussi à percer les nuages. L'automne est là, mais la douceur raconte une autre saison. Le président s'appuie péniblement sur les accoudoirs de son fauteuil. Daniel lui tend le bras. Jacques Chirac, l'aventurier, lui qui se rêva archéologue, officier de l'armée, marin au long cours, aimerait tellement pouvoir déambuler, comme autrefois, dans le quartier de Saint-Germain-des-Prés pour humer la vie, lécher les vitrines des antiquaires et des collectionneurs d'art, mais son corps le lui interdit, et la route est sans retour.

4

LE POUVOIR DES MAINS

Que sert à mon esprit de percer les abîmes,
Des mystères les plus sublimes,
Et de lire dans l'avenir?
Sans amour, ma science est vaine,
Comme le songe, dont à peine
Il reste un léger souvenir.

JEAN RACINE, *Cantiques spirituels*

Jacques Chirac est un cristal à la lumière changeante, inaccessible. Se déplacer de quelques centimètres, faire un pas de côté, prendre du recul ou au contraire s'en approcher de trop près modifie la couleur de la pierre. Inaltérable à l'extérieur, l'intérieur est beaucoup plus ombrageux et mystérieux, pour ne pas dire mystique. Aucun jour ne se ressemble. Un instant d'un vert changeant, un autre d'une teinte bleu pâle, parfois il devient translucide, d'un blanc diaphane offrant un éclat particulier tout en gardant une enveloppe uniforme. Un joyau qui donne à voir aux plus curieux sans que jamais personne ne puisse réellement toucher le cœur précieux de la pierre, comme si cet homme se dérobait en permanence. Le « cristal Chirac » est d'une grande puissance, tous ceux qui l'ont croisé, et pas seulement ses proches, parlent d'une indéfinissable énergie, chacun avec ses mots essaie de s'approcher de la vérité : tellurique, volcanique, magnétique, charismatique... Quand il vous serre la main, vous avez l'impression, quelques instants, d'être unique, d'être devenu quelqu'un d'important. Il vous « considère », disent-ils, avec des étoiles dans les yeux. Il est grand, il est beau, il « dégage », soulignent les femmes qui l'ont croisé... Un pouvoir bien utile quand on se destine à faire de la politique. Denis Tillinac a retrouvé des documents du Parti socialiste corrézien, qui, dans les années 1970, donnait l'ordre à leurs militants, sous peine d'être exclus, de ne jamais accepter d'entretien en tête à tête avec Jacques Chirac « parce qu'il pouvait en un rien de temps les convaincre de voter pour lui[1] ». Partout où il passe, il laisse un souvenir, une sensation particulière, quelque chose d'invisible qui vous traverse le corps et qui reste gravé à vie.

Autre scène choisie parmi des milliers, une anecdote qui le raconte tel qu'il a toujours été. Nous sommes à la fin de son deuxième mandat, le président a sa carrière derrière lui. Jean-Louis Debré, son fidèle ami, partage depuis quelques mois des moments uniques avec le

---

1. Entretien de l'auteur avec Denis Tillinac, août 2016.

président. Ils arpentent les rues de Paris, côte à côte. De longues balades méditatives, où «le silence fait partie de la conversation[1]». Une heure trente de marche entre la place des Vosges et le boulevard Saint-Germain. Un jour, Jean-Louis Debré réussit à le faire asseoir à la table d'un restaurant qui propose des plats bio, une cuisine saine et sans traitement chimique, autant dire à des années-lumière de ce qu'engloutit Jacques Chirac depuis des décennies : «Je me souviens de ce moment incroyable. C'est ma fille, Marie-Victoire, qu'il appelle "ma puce", qui m'a poussé à le convaincre. Lors d'une de nos balades, le président a pris place dans un restaurant très bobo. La clientèle, un peu surprise de le voir, l'a d'abord observé du coin de l'œil. Il a avalé plusieurs bières bio, dévoré une grosse assiette de quinoa. En quelques minutes, les clients étaient tous autour de lui... Le courant est passé alors que ce n'était pas forcément nos électeurs. Sous le charme, certains lui ont même dit qu'ils seraient prêts à voter pour lui s'il se représentait en 2007[2]!» Mais au terme de ce quinquennat, le président, âgé de soixante-quatorze ans, après avoir un peu hésité, a finalement décidé de ranger les gants... Des proches auraient aimé qu'il se lance dans un troisième mandat. «Il y a une vie après la politique, il y a une vie jusqu'à la mort[3]», confie-t-il à Michel Drucker.

Il reçoit dorénavant ses visiteurs dans ses nouveaux habits de retraité de la République. Cela ressemble à une audience chez un vieux sage africain. Peu importe que l'échange soit de plus en plus difficile, peu importe que

---

1. Entretien de l'auteur avec Jean-Louis Debré, juin 2016.
2. *Ibid.*
3. «Vivement dimanche», émission hebdomadaire de France 2, 8 février 2007.

les mots soient moins fluides, le regarder suffit. Certains essaient de le distraire, d'autres se racontent leur propre histoire, quelques-uns plongent dans une profonde tristesse, qu'ils tentent de dissimuler comme ils le peuvent. Là encore, avec des mots différents, ces visiteurs racontent tous la même histoire. « Moi, quand je viens le voir, c'est pour son regard, quelque chose comme une énergie, une force qui se dégage de ses yeux. Quand il vous regarde, vous savez qu'il fait attention à vous[1] », explique l'ancien député de Paris Jean-François Lamour. Ceux qui l'aiment souffrent aujourd'hui de le voir aussi diminué. Beaucoup me confient ne plus vouloir venir rue de Lille, parce qu'ils veulent conserver intacte l'image de celui qui fut leur « chef », leur « père », leur « guide », leur « coup de cœur ». Ceux qui poussent la porte de son bureau viennent chercher de la force, celle qui les nourrissait lorsque Jacques Chirac était aux commandes. L'homme est affaibli mais, ils le sentent, le courant passe toujours d'une manière ou d'une autre. Ils sont aujourd'hui orphelins de ce complice joyeux avec qui ils ont partagé tellement de choses. « Je guette une petite flamme, un sourire[2] », décrypte Frédéric de Saint-Sernin, un « bébé Chirac » qui a été de toutes les campagnes depuis 1988, en charge des enquêtes d'opinion.

À chaque entretien, Daniel est à ses côtés, une deuxième voix capable de prolonger une conversation, d'éviter les longs silences, de relier les pointillés de sa mémoire. Tous ceux qui défilent pour échanger avec lui, l'observer, le toucher, profiter de son énergie, sont d'anciens ministres,

1. Entretien de l'auteur avec Jean-François Lamour, février 2016. Jean-François Lamour a été conseiller de Jacques Chirac à la mairie de Paris et ministre des Sports des gouvernements Raffarin et Villepin (2004-2007).
2. Entretien de l'auteur avec Frédéric de Saint-Sernin, avril 2016.

des vedettes de l'ex-RPR, de vieux ou de lointains amis, des personnalités mondaines ou de futurs candidats à la présidentielle en campagne, un long catalogue d'ambitions et de fidélités, sincères ou pas. Voilà Jacques Chirac dans le costume du roi thaumaturge. Un mythe qui remonte au Moyen Âge, lorsque, le jour de son sacre, le roi venait apposer ses mains sur les écrouelles. Pestiférés et scrofuleux alignés, tremblants, attendaient un miracle venu des mains du roi qui devait prononcer cette phrase mystique : «Le roi touche, Dieu guérit.» Un rite qui a traversé les siècles et qui a perduré jusqu'en 1825. La République conserve quelques reliques de la garde-robe monarchique... Le président ne soigne plus, mais les mains du nouveau monarque républicain sont restées un instrument de pouvoir incontournable. Certains hommes politiques usent et abusent de leur voix, d'autres séduisent du regard. Jacques Chirac est plus à l'aise avec ses *mains*. Des *mains* identifiables parmi des milliers. Des *mains* si longues, des doigts si fins, aujourd'hui constellées de petites taches brunes. Cette *main* que des millions de téléspectateurs voient sortir de la vitre arrière de la voiture qui l'emmène à l'Élysée le soir de sa victoire en 1995. Une *main* joyeuse qui salue la foule pendant presque tout le trajet. Ses *mains* encore qui se lient et montent au ciel, formant le V de la victoire, ou celles qui se posent sur l'avant-bras de son interlocuteur pour mieux l'écouter, mieux le convaincre, des *mains* qui ont toujours quelque chose à dire.

Des *mains* ouvertes, légèrement incurvées, qui donnent l'impression «de caresser les formes rondes et douces des masques dogons[1]». Des *mains* qui touchent, qui palpent,

---

1. Entretien de l'auteur avec Marie-Anne Montchamp, septembre 2016.

étreignent le corps de ces femmes qu'il aime à la va-vite. Ces *mains* qu'il donne à Daniel dans l'intimité de son bureau, en signe de profonde gratitude, parce que les mots lui manquent. Ces *mains* qui ont rencontré des dizaines de milliers de Françaises et de Français : lors de meetings, de déplacements officiels, de cérémonies. Des milliers de mains d'inconnus, tendues à son passage comme des offrandes dont il s'est saisi avec gourmandise et passion. Les *mains* de Jacques Chirac que l'on trempe en urgence dans la glace, tant elles sont brûlantes, tant le président a donné ce soir-là. Des doigts qu'il embobine de sparadrap tant ils sont meurtris. Des *mains* qui racontent la vérité d'un homme. « On apprend toujours quelque chose quand on serre la main des gens. On en apprend souvent plus qu'à les écouter », répète fréquemment Jacques Chirac.

Ses *mains* encore qu'il pose sur la tête d'un enfant de huit ans. Il s'appelle François Baroin. C'est la première fois qu'il rencontre Jacques Chirac, un ami de son père, invité au domicile familial. Il est alors Premier ministre. François Baroin a dans les mains son cahier d'autographes qu'il dégaine à chaque fois qu'une personnalité dîne à la maison : « Il a signé mon cahier en me souriant... Je me souviens très bien de sa grande main qu'il a posée sur ma tête et cette étrange sensation, de bienveillance et de protection. J'étais impressionné, littéralement figé[1]. » Figé par sa grande taille ? Par l'énergie de ses *mains* ? Il ne sait plus vraiment. Cette *main* qui lorsqu'elle vous touche vous

---

1. Entretien de l'auteur avec François Baroin, juin 2016. Aujourd'hui sénateur de l'Aube. Porte-parole du premier gouvernement Juppé (1995), ministre de l'Outre-mer et de l'Intérieur sous le gouvernement Villepin (2005-2007), ministre du Budget, porte-parole du gouvernement et ministre de l'Économie, des Finances et de l'Industrie sous les gouvernements Fillon (2010-2012).

marque à jamais. Cette *main* que François Baroin va serrer tant de fois. Plus tard, cette *main*, celle d'un père, se posera sur son épaule à la fin d'un déjeuner pour lui dire qu'il est là, qu'il croit en lui. Cette *main*, convaincante, qui se déploiera sur l'avant-bras du jeune Baroin pour lui donner la force de s'engager en politique.

Jacques Chirac est un proche de Michel Baroin, rencontré sur les bancs de Sciences-Po, quelques années auparavant. Une amitié fidèle avec cet homme au parcours original. En 1960, Michel Baroin débute sa carrière en Algérie comme commissaire de police, un bref passage par la DST[1], le voilà, dans les années 1970, sous-préfet de l'Aube. De la police aux ors de la République, il est par la suite nommé chef de cabinet de deux présidents de l'Assemblée nationale, Achille Peretti et Edgar Faure, avant de devenir en 1974 président de la compagnie d'assurance GMF[2]. Parallèlement, il est une personnalité éminente de la franc-maçonnerie qui accède au poste suprême de grand maître du Grand Orient de France. Un réseau puissant et influent auquel son grand-père a appartenu et sur lequel, dit-on, Jacques Chirac se serait beaucoup appuyé pour conquérir les suffrages, sans jamais vraiment participer aux réunions secrètes de la rue Cadet.

Lorsque François Baroin parle de Jacques Chirac, il est tout en retenue, comme si dévoiler avec des mots, même lorsque ce ne sont que quelques bribes de souvenirs, c'était un peu souiller la beauté de cette relation si particulière et si intense entre les deux hommes. Il consent cette phrase, sèche et courte, pour essayer d'expliquer tout ce qui allait

---

1. Direction de la surveillance du territoire.
2. Garantie mutuelle des fonctionnaires.

suivre : « Il était là, le soir de la mort de mon père[1]. » Il est vingt heures, ce 4 février 1987, dans la maison des Baroin. Ce soir-là, Jacques Chirac, alors Premier ministre, est assis sur le canapé du salon à côté de Michèle, l'épouse de Michel, brisée par la tristesse. Il leur annonce la disparition tragique de Michel Baroin dans un accident d'avion. François est âgé de vingt-deux ans. Il a les yeux rivés sur le poste de télévision pour écouter les dernières informations sur l'accident. Le Learjet 55 de son père s'est s'écrasé peu après le décollage de Brazzaville au Congo, où Michel Baroin venait de rencontrer le président Denis Sassou-Nguesso. Il n'y a aucun survivant. Le monde s'effondre sous les pieds de François. Quelques mois auparavant, le 26 avril 1986, sa sœur mourait à Paris, renversée par une voiture : « Je suis passé de l'innocence à la responsabilité, et, à partir de là, c'est devenu une habitude. J'ai eu rendez-vous avec la mélancolie. Tous les jours. Il faut s'y habituer[2]... » Jacques Chirac est partout, surtout dans ses silences. Il parle de son humour, de son humanité, de sa manière à lui d'être un homme de droite, de son attachement à l'État. « Il aime sans calcul. »

« Tout silence contient l'hypothèse d'un secret[3]. » Le respect de François Baroin passe par le silence. Pas de vilains secrets, non, de beaux secrets, qui prennent la forme d'une intimité rassurante, des secrets que l'on garde pour soi parce qu'ils renferment des trésors qui guident vos pas. Chez François Baroin, pas d'exégèse, surtout pas, il la laisse aux commentateurs, pas de psychanalyse pour ausculter

---

1. Entretien de l'auteur avec François Baroin, juin 2016.
2. *Ibid.*
3. « Bruits », de Vladimir Nabokov, nouvelle de 1923, Mille et une nuits, 2005.

le parcours tonitruant de celui qu'il considère comme un père. Son silence constitue la marque de sa fidélité et de son amour filial. Jacques Chirac sera finalement le plus bavard des deux : «À la suite du drame qui a coûté la vie à son père, j'ai pris en quelque sorte François sous mon aile pour le conseiller, l'aider, le soutenir, l'orienter. Nous sommes devenus peu à peu très proches. Plus qu'un soutien, plus qu'un ami, François est devenu comme un fils. Nous avons donc partagé beaucoup. Des déjeuners, des dîners, des joies. Parfois des peines aussi[1].» Aujourd'hui, François Baroin n'est plus cet homme politique à l'allure juvénile, il s'est débarrassé de ses petites lunettes qui lui ont valu le sobriquet de «Harry Potter». Il a cinquante et un ans, fume cigarette sur cigarette, comme Jacques Chirac en son temps, signe d'une angoisse ou d'un vide à combler parce que parler de cet homme qui lui a tant donné, c'est remuer de violents souvenirs. Il sait ce qu'il doit à ce père adoptif qui a fait de lui, en 1995, à l'âge de vingt-sept ans, le plus jeune porte-parole du gouvernement et quelques mois auparavant le porte-parole de sa campagne. «Sur le moment, j'ai refusé, mais il ne m'a pas vraiment laissé le choix. Il faut dire que nous n'étions pas très nombreux autour de la table ce jour-là[2]», dit-il en souriant.

Plusieurs fois ministre sous la présidence de Nicolas Sarkozy, il s'est aujourd'hui affranchi de son mentor, il a «coupé le cordon», comme on dit, en choisissant de soutenir Nicolas Sarkozy dans la bataille des primaires de la droite et du centre, malgré leurs divergences sur beaucoup de sujets. «J'ai adoré travailler avec lui», écrit-il dans son

1. Interview de Jacques Chirac, *Paris Match*, 2011.
2. Entretien de l'auteur avec François Baroin, juin 2016.

livre *Journal de crise*[1] publié en 2012. Les relations se sont tendues avec Claude et le ciel s'est assombri avec sa «vieille copine» de toujours. Elle n'a pas compris son choix, n'en dit rien publiquement, mais le coup a été rude. Depuis lors, il n'est plus le bienvenu au bureau du président, au 119, rue de Lille. Si le président lui en avait donné l'occasion, François Baroin aurait essayé de le convaincre que Nicolas Sarkozy était le meilleur et qu'il fallait pardonner depuis tout ce temps. Il lui aurait expliqué les yeux dans les yeux qu'il ne pouvait pas travailler avec Alain Juppé, qu'il n'a jamais pu d'ailleurs. Jacques Chirac aurait-il pour autant accepté son choix ?

***

Chaque proche, chaque visiteur, chaque ami ou relation lointaine, pour des raisons différentes, intimes parfois, vient chercher en lui quelque chose d'indéfinissable, d'inexplicable, mais bien réel dans son cœur. Il aime sa présence, sa chaleur, son charisme naturel, son autorité. Et si son grand-père corrézien lui avait transmis cette force mystérieuse, lui donnant le pouvoir de soigner avec ses *mains*, comme on le fait dans les campagnes depuis des siècles et en Corrèze particulièrement ? Cette question mérite d'être posée car nombreux sont ceux qui se la posent. D'autres l'écartent d'un revers de la main sans porter le moindre intérêt à ces prétendus pouvoirs, peut-être parce que le sujet est tabou, peut-être parce qu'il est plus simple de maintenir enfermé Jacques Chirac dans sa carapace d'homme politique.

1. *Journal de crise*, François Baroin, JC Lattès, 2012.

Une fois seulement, Jacques Chirac va se confier. «Je suis guérisseur», explique-t-il au journaliste Pierre Péan qui prépare un livre sur sa vie, sur son parcours et ses zones d'ombre. «Il me l'a dit comme ça, le plus simplement du monde, mais je ne crois pas qu'il voulait dire qu'il guérissait au sens premier du terme, mais qu'il aimait par-dessus tout les hommes, qu'il voulait les aider, c'est comme cela que je l'ai compris[1]», souligne Pierre Péan. Un pouvoir qu'il tiendrait de son père, reçu de son grand-père. Une étrange scène vient pourtant apporter un témoignage concret de ces pouvoirs, que Jacques Chirac prend soin de minimiser à chaque fois qu'il en est question. C'est le seul élément tangible – mais sûrement pas l'unique – qui soit parvenu jusqu'aux oreilles des journalistes. Dans quelques années, on parlera peut-être de «miracle», d'autres parleront de pur hasard ou alors plus personne n'évoquera cet événement... L'histoire fera son propre chemin. Ce secret, l'a-t-il partagé avec sa femme Bernadette? Elle a perçu sa quête de spiritualité et ses questionnements métaphysiques: «Il est habité par tous ces sujets. Il a ça en lui, ça l'interpelle en permanence. Il étudie constamment ce que les Égyptiens pensaient de l'au-delà. Il est fasciné par ces empereurs chinois qui se faisaient enterrer avec tous leurs objets, leurs serviteurs, leurs concubines, pensant qu'ils allaient continuer à vivre après, parce qu'il y avait une autre vie[2].»

Croire en l'au-delà ne fait pas de lui un guérisseur pour autant. Un sujet dont elle n'a jamais parlé publiquement jusqu'à ce jour de 2016 où elle donne un long entretien pour parler de ses années Sciences-Po dans la revue de

---

1. Entretien de l'auteur avec Pierre Péan, janvier 2016.
2. *Conversation*, de Bernadette Chirac avec Patrick de Carolis, Plon, 2001.

cette grande école. Elle décide de fendiller l'armure. En marge de l'entretien, alors que Bernadette est détendue, la journaliste lui demande innocemment si son mari a des dons de guérisseur. « Oui », lui répond Bernadette, qui n'en dira pas plus. Mais par cette réponse elle accrédite les pouvoirs de son mari, dont elle a toute sa vie protégé le secret, un secret lourd et bien embarrassant.

Mais a-t-il utilisé ce pouvoir ? En avait-il la pleine conscience ? La scène se déroule en juillet 1994 dans une chambre du centre hospitalier intercommunal de Poissy où Pierre Bédier est entre la vie et la mort. Il est chef d'entreprise, à la tête d'une société de communication, responsable départemental RPR dans les Yvelines, son fief politique. Il fait lui aussi partie des « bébés Chirac ». En sortant d'une réunion, il est pris de terribles maux de tête, doit s'asseoir, impossible de se relever. Il entend le médecin du Samu ordonner son transfert vers l'hôpital. La vie, ça ne tient à rien. Ensuite, tout devient flou, il se souvient du dos-d'âne qui l'a secoué lorsque le camion de pompiers est passé dessus. Un chariot qui roule à toute allure, des lumières blanches qui filent comme des comètes, des bruits puissants, puis de plus en plus lointains. Le dernier souvenir qui lui reste, c'est le son des seringues dans le plat en inox, un bruit qui n'inspire jamais rien de bon. Il n'a plus aucun repère, le temps l'a quitté. Il est partout et nulle part. Il ignore s'il est toujours vivant, glissant doucement dans un long tunnel rempli de lumière. Ce sont des sons dilués qui viennent frapper son tympan. Ce sont des infirmières qui parlent. Il attrape au vol des mots, « maladie grave », « leuco-encéphalite ». Pierre Bédier est atteint d'une affection cérébrale caractérisée anatomiquement par des lésions inflammatoires.

«J'avais des tuyaux branchés partout, j'étais sous respiration artificielle, cloué sur un lit. Les médecins ne me donnaient que quatre jours à vivre[1]», se souvient Pierre Bédier. Jacques Chirac est prévenu. Le maire de Paris, candidat à l'élection présidentielle, rejoint sa chambre en toute discrétion. Jacques Chirac se colle à son oreille, lui prend la main, la serre, l'enveloppe et lui parle une drôle de langue.

Pierre Bédier se souvient de ses mots, la mélopée de ses phrases, courtes et incantatoires: «Tu ne vas pas mourir, tu as la force de t'en sortir... je sens que tu progresses.» La scène se produit plusieurs jours de suite. Calmement, Jacques Chirac lui parle dans le creux de l'oreille. Des mots comme une musique envoûtante. Il convoque «les forces puissantes et occultes» et fait appel à la «vérité de l'humanité». «Je sentais qu'il dégageait de l'énergie», raconte Pierre Bédier, étonné lui-même d'avoir vécu cela, pas forcément connecté aux forces occultes, et pourtant, aujourd'hui, il en est persuadé, sa résurrection, il la doit à Jacques Chirac, son sauveur. Cet événement rendu public a obligé Jacques Chirac à se justifier: «Pierre Bédier était allongé à l'hôpital, il ne bougeait plus du tout. J'étais estomaqué. Je suis resté là et lui ai pris la main pendant une heure et demie. Toutes les cinq minutes, je lui murmurais des choses affectueuses à l'oreille. Tout à coup il a remué un doigt, puis il s'est réveillé», explique-t-il. Ce qu'il ne dit pas, c'est que chaque soir en sortant de l'hôpital, il téléphonait à la fille de Pierre Bédier pour la rassurer. Elle avait onze ans et se souvient encore avec précision de

---

1. Entretien de l'auteur avec Pierre Bédier, février 2016. Pierre Bédier est aujourd'hui président du conseil départemental des Yvelines.

ses mots, étranges pour une enfant, prononcés par celui qu'elle connaissait à travers la télévision : « Ne t'inquiète pas, mon grand-père était un peu sorcier en Corrèze, j'ai un peu des pouvoirs de marabout, je sais que ton papa va s'en sortir[1]. » Pourquoi Jacques Chirac a-t-il fait tout cela pour lui ? Voilà la question qui lui traverse l'esprit aujourd'hui encore. Pourquoi ? Lui qui n'était qu'un petit patron, un notable local, pourquoi a-t-il été choisi par Jacques Chirac ? Il se repasse en boucle les mots qu'il lui a glissés à l'oreille, mais n'a pas de réponse à cette question et n'en aura probablement jamais.

Pierre Bédier ignore que, quelques heures avant de le rejoindre dans sa chambre d'hôpital, Jacques Chirac se trouvait à Arpajon (Essonne) pour soutenir son ami Jean de Boishue, candidat aux élections cantonales. Depuis sept heures trente du matin, il serrait des mains, plaisantait, « faisait du Chirac ». Celui qui deviendra quelques mois plus tard président de la République était là comme si de rien n'était, jovial et détendu, malgré « des maux de tête parce qu'il avait, révèle Jean de Boishue, trop bu la veille avec ses amis Rostropovitch et Hélène Carrère d'Encausse[2] ». Au cours de la visite, il lui avait annoncé qu'il partirait à l'issue du déjeuner, « à quatorze heures trente, parce qu'il devait rendre visite à Pierre Bédier qui se trouvait entre la vie et la mort[3] ». Avant d'ajouter en montant dans sa voiture : « Les médecins m'ont demandé d'intervenir, peut-être pourrai-je faire quelque chose, alors j'y vais[4]. » Cette dernière phrase résonne encore dans la mémoire de Jean de Boishue. Pierre

---

1. *Histoire secrète de la droite*, d'Éric Branca et Arnaud Folch, Plon, 2008.
2. Entretien de l'auteur avec Jean de Boishue, septembre 2016.
3. *Ibid.*
4. *Ibid.*

Bédier ressuscite comme par magie. «Il a probablement créé un choc ou quelque chose de ce genre[1].» Un «choc», un mot iconoclaste pour décrire les pouvoirs qui habitent Jacques Chirac, des pouvoirs que l'on emballe de toutes sortes d'expressions pour tenter de donner un sens à cette scène mystérieuse qui échappe à l'entendement.

Plusieurs années après, Jacques Chirac ne l'a pas oublié, Pierre Bédier devient secrétaire d'État en charge du Programme immobilier des prisons de juin 2002 à janvier 2004. Tout le RPR a bien sûr entendu parler de la résurrection de Pierre Bédier. Bien peu, en dehors de ceux qui l'ont approché, prennent au sérieux sa force, cette force occulte, un peu de la même manière que lorsque ses amis parlent de sa passion pour les arts premiers, comme si tout cela était extérieur à sa personne, ne voulant voir en lui que son enveloppe extérieure, la bête de scène, rusée et appétissante, rien de plus.

***

Jacques Chirac ne donne à voir de lui que ce que les gens cherchent: «C'est vrai, pourquoi a-t-il caché ce trésor? Jamais nous n'en avons parlé... Jamais il n'a entrouvert cette porte. Et moi, je n'ai pas cherché de ce côté-là; ce qui m'intéressait, c'était l'animal politique, la manière dont il organisait ses batailles, comment il construisait ses victoires[2]», s'étonne Michèle Cotta, qui a bien connu Jacques Chirac. Ils se sont rencontrés en 1969, à l'époque, il est un jeune ministre ambitieux, qui a fait de la Corrèze son marchepied politique. La jeune journaliste

---

1. *Ibid.*
2. Entretien de l'auteur avec Michèle Cotta, mars 2016.

réalise le premier portrait sur le terrain, à Paris et en Corrèze, de cet homme politique dont on prédit un avenir brillant. L'entretien est immortalisé dans les archives de l'Ina[1]. On le voit parler en toute décontraction avec des paysans corréziens qui le regardent comme s'il était leur propre fils. Pendant près de quarante ans, Michèle Cotta suit ce séduisant animal politique, l'approche de près. On lui attribue même une liaison, elle s'en défend et entend clarifier les choses : «Je n'étais pas amoureuse de lui...» Elle brosse de lui un portrait en demi-teinte, comme si on ne pouvait cerner Jacques Chirac qu'à travers ses contradictions : «Il avait une énergie vitale, une force incroyable... et en même temps cette force, cette détermination, le rendait indifférent aux autres.»

Il ne faut jamais s'approcher trop près de Jacques Chirac, sinon le cristal vous brûle, vous envoûte. Tenter de percer son mystère, c'est emprunter une route escarpée dont la destination semble incertaine, tant cet homme a brouillé les pistes. Un homme politique sans ego, qui s'est si souvent moqué de lui-même, jusqu'à se dévaloriser. Quel étrange paradoxe. À quelques jours de l'élection présidentielle de 1995, dans un avion qui le ramène d'une visite en province, il ironise devant des journalistes sur ses prétendus pouvoirs thaumaturges, peut-être pour mieux les protéger, pour surtout ne pas être différent du commun des mortels, de ceux qui vont l'élire...

Car Jacques Chirac s'est très peu exprimé sur ses pouvoirs «surnaturels», qui font partie de son jardin secret. Quelques indices nous sont donnés, des éléments de réflexion. Il y a cet échange avec Pierre Péan sur ses dons de guérisseur,

---

1. Institut national de l'audiovisuel.

sur son pouvoir des *mains* et la puissance de sa voix pour apaiser les souffrances, et puis il y a d'autres signes.

Yasser Arafat, le responsable de l'Autorité palestinienne, est mort en France le 11 novembre 2004 à l'hôpital militaire Percy de Clamart. Un voile mystérieux plane toujours sur les causes de sa mort. Entre 1995 et 2004, le chef d'État français l'a reçu trente fois en France. Les deux hommes s'estiment. Yasser Arafat l'a même baptisé « le Doc ». Quel sens ce surnom prend-il dans la bouche d'Arafat ? Il aurait pu l'appeler chaman, sorcier, guérisseur, quel est au juste le mot qui lui correspond le mieux ? Sa réponse est chaque fois la même : « Je suis un homme simple, tout cela, ce ne sont que des anecdotes. » Jacques Chirac a intuitivement senti que les Français, soignés depuis l'après-guerre grâce aux progrès des médecines allopathiques fabriquées dans des laboratoires modernes, n'étaient pas prêts à entendre ces histoires de guérisseur, trop tôt ou peut être trop tard... Les forces occultes venues de nos campagnes, « la vérité de l'humanité », ont été rangées dans le placard du folklore, fermé à double tour par le cadenas du progrès. Et puis il le sait, ce sont des sujets tabous. En d'autres temps, lointains, on brûlait les sorcières, ces jeteuses de sorts, jugées hérétiques et pourchassées par l'Église. C'est un sujet dont on parle à voix basse, lui-même se sent embarrassé, c'est à la fois son jardin et sa prison.

***

Humanité. Ce mot circule de bouche en bouche, comme une évidence, comme si les témoins qui ont accepté de parler de lui s'étaient passé le mot. « Il était toujours d'une humeur égale, il avait toujours un mot, une attention pour

le personnel, quelle que soit la pression sur ses épaules »,
se souvient celui qui fut l'un de ses cuisiniers personnels
pendant douze ans. Il a servi trois présidents, trois personnalités aux profils si différents qu'il a pu observer, comme
une petite souris, François Mitterrand, Jacques Chirac et
Nicolas Sarkozy. Quand il parle de Jacques Chirac, ses yeux
brillent, « parce que c'est un homme qui veut toujours faire
le bien autour de lui ». Il se souvient du président venant
s'asseoir à côté d'une lingère de l'Élysée qui pleurait dans
son coin et d'insister pour savoir ce qui n'allait pas, ce
qu'elle avait, prenant le temps de l'écouter lui raconter
ses « petites misères ». Quelques minutes plus tard, elle
avait retrouvé le sourire. Le président venait de régler le
problème en deux coups de fil.

Jacques Chirac aime les hommes. Parfois il les tue parce
que la politique n'offre pas beaucoup d'autres alternatives.
Il a fait de la politique comme on fait « un job[1] ». Lorsqu'il
a fallu rédiger ses mémoires en 2007, il hésita longuement,
si peu intéressé par l'image qu'il allait laisser de lui, puis
accepta de se prêter à l'exercice : « Ce qui le passionnait
le plus, c'était sa fondation, parler de la prévention des
conflits, de la défense des langues, du musée du Quai
Branly, il n'avait pas un désir immense de reparler de
politique en somme[2]. » Alors, comment cet homme a-t-il
pu gravir toutes les marches du pouvoir pour en atteindre
le sommet en s'intéressant, au fond, si peu à la politique ?
« Il avait horreur de l'idéologie, les partis l'exaspéraient et

---

1. Expression d'Éric Zemmour dans *L'homme qui ne s'aimait pas*, Balland,
2002.
2. Revue *L'Histoire*, hors-série « Le cas Chirac », entretien réalisé par
Jean-Luc Barré, mars 2016.

les militants encore plus, parce qu'ils étaient sans nuance. Au fond, il n'aimait pas les partis[1]. »

Il aime d'abord les hommes parce qu'il cherche à percer leur mystère et, à travers eux, éclairer ses doutes, apaiser ses angoisses. Alors toute sa vie, dans le secret le plus absolu, il plonge à corps perdu dans les origines de l'humanité en essayant de tout comprendre, les religions, les civilisations, surtout celles que l'Occident méprise depuis des siècles. Il dévore les livres, les étudie intensément dans le plus grand secret.

Jacques Chirac a le corps d'un guerrier et l'âme d'un poète. C'est à la fois un rustique et un homme très fin, et entre les deux il n'y a pas grand-chose. Il pense en millénaires mais agit dans l'instant... et la seule chose qu'il a bien consenti à montrer de lui, c'est son agitation et sa silhouette si agréable à regarder. En Afrique, il aurait été sorcier ; en Amérique du Sud, chaman ; maître bouddhiste en Chine ; en France, il est devenu président de la République en prenant soin de ne dévoiler qu'une infime partie de lui-même. Comme s'il y avait eu une erreur d'aiguillage.

Une vie entière à se faufiler par une porte dérobée pour rejoindre sa caverne secrète. Au-dessus, une armure d'homme politique balafrée, abîmée à certains endroits, et en dessous un être pétri d'humanité, toujours prêt à aider son prochain, à tendre la main à celui qui souffre, à donner un coup de main, car Jacques Chirac a passé sa vie à rendre des services. Il écrit beaucoup, de petits mots d'encouragement, pour une naissance, des messages de soutien pour un ami ou une lointaine connaissance, il

---

1. Entretien de l'auteur avec Denis Tillinac, août 2016.

passe des heures au téléphone, pour prendre des nouvelles, remonter le moral de l'un ou de l'autre, pour chercher le meilleur hôpital ou le meilleur médecin pour soigner la compagne d'un député, réconforter un malade ou un blessé, les pieds sur le bureau. Le faisait-il pour se soigner ?

Il a rendu beaucoup de petits services, a souvent tendu sa *main*... Françoise de Panafieu[1] se souvient qu'un matin Jacques Chirac l'appelle pour lui demander de recevoir quelqu'un de toute urgence : « Il faut l'aider », lui dit-il. Le message est clair : elle doit se débrouiller pour trouver un point de chute à cet homme dont elle n'a jamais entendu parler, ni à l'Hôtel de Ville, ni ailleurs. Cet homme que Françoise de Panafieu reçoit est en fait un soldat qui a combattu sous les ordres de Jacques Chirac en Algérie : « Je lui dois la vie, il m'a sauvé ! » lui explique-t-il, ému. Et l'homme de lui raconter la manière dont le lieutenant Chirac était proche de ses hommes, cette façon d'être toujours aux avant-postes, lui demandant avec insistance de remercier Jacques Chirac de ne pas l'avoir oublié.

***

Soigner, aider, panser les plaies de l'âme, Jacques Chirac y consacre une bonne partie de sa vie, en toute discrétion, en portant le masque du pouvoir. Jean-François Lamour fut un témoin privilégié de cette profonde humanité qui habite Jacques Chirac. Leur première rencontre remonte à 1984, à Los Angeles. Jean-François Lamour, « le Frenchy » en vedette américaine, combat pour le titre olympique juché sur un immense podium posé au bord de la mer

---

1. Françoise de Panafieu a été ministre du Tourisme dans le gouvernement Juppé (1995), députée de Paris et maire du 17e arrondissement de Paris.

comme dans les grands shows de boxe. Ce jour-là, il conquiert le titre de champion olympique au sabre individuel. La consécration après des années d'efforts. Il ne le sait pas, mais Jacques Chirac, maire de Paris à l'époque, est dans la salle; à la fin du combat, il vient le saluer, le félicite, lui serre chaleureusement la main. Le souvenir est intact. Il n'imagine pas un instant qu'il va devenir un «bébé Chirac», occupé pour quelques années encore à gagner des titres.

Un peu moins de dix ans après cette rencontre, Chirac le choisit pour devenir son conseiller sportif à la mairie de Paris. Il gravit un à un tous les échelons. À ses côtés, il a tout appris. C'est un coup de foudre politique et humain. «Il m'a apporté une seconde vie[1]», dit-il avec nostalgie. Ce sont des mots, des petites phrases qui reviennent en boucle lorsque l'on parle avec les autres «bébés Chirac», qu'il embauche d'abord comme conseillers, avant qu'ils deviennent, sous son impulsion, députés puis ministres comme Christian Jacob, Valérie Pécresse et quelques autres. Mais, avant de plonger définitivement dans le grand bain de la politique, Jean-François Lamour devient une nouvelle fois champion olympique, à Séoul, en 1988. Aux JO de Barcelone 1992, il est le porte-drapeau de la délégation tricolore et monte sur la troisième place du podium. C'est le crépuscule de sa carrière. L'année suivante, il pose le masque et le sabre, en a terminé avec ce sport très exigeant qui impose une discipline de fer, pour entrer dans sa nouvelle vie, dans son nouveau costume. Il ne connaît rien à la politique... Jacques Chirac va lui apprendre les ficelles du métier. Il ne fait pas partie du premier cercle,

---

1. Entretien de l'auteur avec Jean-François Lamour, février 2016.

vouvoie Jacques Chirac, mais le courant passe entre les deux hommes. C'est aussi un maître exigeant.

Discrètement, il recoupe les informations ou les notes que lui donne le champion olympique. C'est la méthode Chirac. Jean-François Lamour découvre son incroyable capacité de travail : « Pour la campagne présidentielle de 2002, j'ai planché sur son programme sport, je lui donnais des fiches bristol qu'il recopiait une à une pour les connaître par cœur. » Dur et exigeant avec ses proches, avec ceux qui le nourrissent d'idées, de notes, avec ceux qui l'aiment, généreux avec des inconnus, avec ceux qui souffrent. Il est, tout à la fois, pétri de contradictions, généreux et indifférent, inaccessible et si proche de vous en apparence.

En 1995, Jean-François Lamour passe avec armes et bagages de l'Hôtel de Ville à l'Élysée, d'abord en qualité de conseiller, avant de rejoindre la grande table cirée du Conseil des ministres, propulsé de l'ombre à la lumière. De 2002 à 2007, il est ministre des Sports imposé aux barons de la droite par le président. Un poste stratégique et finalement très politique, car le sport est devenu le miroir de notre monde, charriant ses excès, ses joies et ses peines, ses vices. Des jeux du cirque modernes dont Jacques Chirac va beaucoup se servir.

En 1914, nos poilus partaient au combat la fleur au fusil pour sauver leur patrie, aujourd'hui, la guerre se fait dans les stades. Dans l'arène, des footballeurs peroxydés, intouchables icônes, mâchonnant une *Marseillaise*, qui, devant des millions de téléspectateurs survoltés, sont chargés de défendre nos couleurs. Le fauteuil du président vide, un imperceptible manque d'intérêt pour une discipline où la France brille ou une simple erreur de prononciation dans le nom d'une vedette sportive et la sanction est immédiate : les sondages dégringolent et les médias se gaussent.

Le président Chirac sait faire. Il a le contact facile, la poignée de main chaleureuse et le mot qui rassure. On le sait passionné de sumo, il s'intéresse à tous les sports, avec la même recette, celle qu'il utilisait avec les paysans corréziens : « On avait coutume de dire que Jospin aimait le sport et que Chirac aimait les sportifs... Cette formule me semble très juste, le président aimait leur parler et les encourager[1]. » L'homme d'abord, avant le geste et la performance.

Avec le président, Jean-François Lamour partage tous les grands événements sportifs planétaires. Ministre des Sports, c'est une fenêtre grande ouverte sur le monde. Il voit l'animal politique de très près. L'ancien ministre égrène des anecdotes, comme des portes qui s'ouvrent et se referment très vite. La vie de Jacques Chirac est comme une immense maison, où chaque pièce est un lieu aux cloisons hermétiques. Le président ne mélange les univers qu'en de très rares occasions. Comme ce jour où le ministre des Sports partage la voiture du président. Il a décidé de faire une halte chez son ami Deydier, envie de se détendre, de parler d'autre chose.

Jean-François Lamour découvre une facette de Jacques Chirac qu'il ne connaissait pas, son érudition, sa passion pour l'art chinois. Le ministre assiste, silencieux, aux échanges, incompréhensibles ou presque pour le commun des mortels, entre les deux experts. La pause a été courte : quelques minutes plus tard, les deux hommes remontent en voiture pour reprendre le chemin de la politique. Un

1. *Ibid.*

autre jour, au cœur de l'été, alors que le gouvernement se repose, Jean-François Lamour reçoit un appel de l'Élysée. C'est le président qui, affolé, demande à parler en urgence à son ministre, car un athlète lors d'un championnat d'Europe diffusé à la télévision vient de se blesser. Il s'appelle Jean-Charles Trouabal, c'est l'un des meilleurs sprinteurs français, foudroyé en plein effort. « Le président, tout excité, me demande d'allumer le poste de télévision et veut comprendre pourquoi l'athlète s'est blessé. Il était comme ça, il voulait tout comprendre, tout de suite. Je me souviens de lui avoir parlé du talon d'Achille. Et en effet le commentateur l'a confirmé quelques minutes plus tard. C'est une blessure grave qui brise une saison. » L'affaire aurait pu en rester là, sauf que le président va chercher à joindre le pauvre Jean-Charles Trouabal, alité dans une chambre d'hôpital. « Deux jours plus tard, nouvel appel du président. Parce que l'infirmière ne voulait pas croire que c'était le président de la République au téléphone, je suis obligé de contacter moi-même l'hôpital pour expliquer que ce n'est pas un canular, que le président veut réellement parler au sprinteur… »

Chirac, c'est un cristal qui magnétise… Un être qui veut plaire, le fonds de commerce d'un homme politique, me direz-vous ! Mais il donne plus, différemment, avec une sorte de sincérité désarmante, comme si chaque personne qu'il croise était unique, essentielle à son équilibre, qu'il voulait la séduire. Au même moment, parce que le regard s'est posé sur une autre face du cristal, les « Guignols » le baptisent « Super-menteur », affublé d'un costume mal ajusté de Superman ! Il est à la fois tout et son contraire, insaisissable et déroutant. On lui pardonne tout, tant il sait jouer de son charisme.

Autre scène, autre témoignage de ses élans de générosité. Nous sommes en 2003 au championnat du monde d'athlétisme. La compétition se déroule en France. Le président de la République et son ministre assistent aux phases finales. Une canicule meurtrière s'est abattue sur la France. Sur la piste du Stade de France, les organismes des athlètes sont mis à rude épreuve. Eunice Barber enflamme le stade avec ses dreadlocks qui gigotent à chacun de ses sauts, son drôle de visage et cette manière extravagante de vivre son sport. Portée par un public surchauffé, elle décroche la gloire et remporte la médaille d'or du saut en longueur avec un bond de 6,99 mètres. Elle échoue cependant sur la deuxième marche du podium à l'heptathlon, derrière la longiligne Suédoise Carolina Klüft. Le président est séduit et veut la rencontrer, impressionné par ce petit brin de femme, si puissante et si amusante à la fois. Ce jour-là, elle savoure sa victoire, mais explique au président qu'une partie de sa famille est restée en Sierra Leone (son pays natal où elle a connu la misère), qu'ils sont bloqués dans la ville de Freetown toujours sous tension. Le président l'écoute attentivement, touché par son témoignage. Quelques semaines plus tard, la famille d'Eunice Barber est rapatriée en France. Une opération menée en toute discrétion et dans des conditions difficiles, car la France à cette époque n'a pas de représentation dans ce pays. «Le président Chirac m'a aidée, c'est vrai... Ne me demandez pas comment, il ne m'en a pas parlé. Ce que je sais, c'est qu'il a tenu promesse[1]...» se souvient Eunice Barber. Jean-François Lamour en sourit encore : «J'imagine la tête de l'ambassadeur lorsque le président a exigé que

---

1. Entretien téléphonique de l'auteur avec Eunice Barber, mai 2016.

l'on exfiltre la famille d'Eunice Barber. Il a dû s'exécuter sans broncher et il n'avait pas le droit à l'erreur[1]. »

Jean-François Lamour n'en finit pas d'être impressionné par cette façon d'être de Chirac. Il pourrait en parler des heures. Comme il n'arrive toujours pas à savoir ce qui s'est passé dans les vestiaires de l'Olympiastadion de Berlin ce 9 juillet 2006. Dix ans après cette finale manquée, le mystère reste entier. Deux jours avant, l'équipe de France de Raymond Domenech s'est qualifiée pour la finale de la Coupe du monde et affronte l'Italie. Les équipes se connaissent par cœur. Par superstition, le président s'est enroulé dans l'écharpe bleu-blanc-rouge, celle qu'il portait en 1998 lorsque la France a terrassé le Brésil trois-zéro. On raconte même que le président aurait fait appel aux forces occultes pour aider l'équipe de France dans son combat. Le match est tendu et indécis. À la fin du temps réglementaire, les deux équipes sont à égalité. À la cent dixième minute, le destin de l'équipe de France bascule. Zinedine Zidane, qui dispute son dernier match professionnel, décoche un coup de boule dans le thorax de Marco Materazzi. Le défenseur italien s'écroule. Moment de flottement sur le terrain, l'arbitre n'a pas vu l'agression, contrairement aux arbitres de touche. Le capitaine de l'équipe de France est finalement expulsé.

Il sort tête basse et s'enferme dans les vestiaires. La statue de notre icône nationale se fissure devant plus de six millions de téléspectateurs médusés. Des milliers d'articles et de reportages relatent cette scène unique, pour ne pas dire historique, dans les annales du football. « Mais ce que l'on ne sait pas, c'est qu'à la fin du match le président de

---

1. Entretien de l'auteur avec Jean-François Lamour, février 2016.

la République est entré dans le vestiaire où s'était réfugié Zidane. Les deux hommes sont restés vingt longues minutes seul à seul avant de rejoindre le groupe effondré dans les vestiaires. Quels mots a-t-il prononcés ? Que se sont-ils dit ? Personne ne le sait. Sur le chemin du retour, j'ai essayé de sonder le président, mais il n'a rien voulu me dire[1]. »

Des gestes qui sauvent, qui ressoudent une famille, des mots qui apaisent lorsqu'on touche le fond, qu'il offre à ceux qui souffrent en toute discrétion, sans jamais éprouver le besoin d'en faire état, de le glisser, l'air de rien, au détour d'un entretien pour patiner son image. Jacques Chirac est tout à la fois : un monstre politique qui a su griffer, plaire, convaincre, dans lequel se cache une pierre précieuse qu'il a, toute sa vie, dissimulée des regards, une énergie puissante qu'il a probablement voulu protéger de la bêtise, de la jalousie si violente en politique, des mauvaises langues, du qu'en-dira-t-on.

Beaucoup de ceux qui l'ont fréquenté s'étonnent encore de ne pas avoir connu ce pan de sa vie, une pointe de regret dans la voix. Il suffit de se plonger dans les articles de presse lorsqu'il est élu président de la République. Au lendemain de sa victoire en 1995, les journaux dévoilent aux lecteurs ses loisirs, ses passions, pour que les Français apprennent à mieux connaître leur nouveau président. Le titre d'un article de *France-Soir*, paru en juin 1995, évoque les nuances qui caractérisent l'homme : « Ses loisirs : polars, westerns et poèmes Tang ». Ses vraies passions, pour la poésie qu'il dévore dans l'hémicycle, la littérature russe ou l'art chinois, sont dévoilées aux lecteurs, mais le journaliste

---

1. *Ibid.*

prend soin de démarrer son article en révélant que Jacques Chirac aimait lire la bande dessinée *Bibi Fricotin* lorsqu'il était enfant et qu'« il aime se plonger dans un roman policier ou regarder un western » lorsqu'il a un peu de temps libre. Chirac réduit au rang du Français moyen qui « s'esclaffe à grand bruit » lorsque l'on prononce le mot « ouistiti », prend soin d'ajouter le journaliste. Une image qu'il n'a pas combattue, dans laquelle il s'est enroulé pour mieux savourer sa liberté. Il est devenu un acteur, jouant un rôle de composition pour les besoins de sa carrière politique, désormais prisonnier de sa propre image.

En sortant du porche, au pas, la voiture a tourné à gauche rue de Lille. Chaque soir, il repasse devant les locaux du RPR. Là où tout a commencé. Ce soir, le président est parti plus tôt. Tous ses rendez-vous ont été annulés, car il est fatigué, les crises de goutte le font atrocement souffrir, et puis il y a toujours ces nuits hachées où il tourne des heures dans son lit, sans réussir à fermer l'œil. La goutte, ce sont de petits cristaux qui provoquent des réactions inflammatoires dans les articulations et qui l'obligent à se déplacer en fauteuil roulant.

C'est un étrange ballet que de voir se croiser le président et sa femme Bernadette, qui donne des maux de tête à l'homme de maison aux côtés des Chirac depuis sept ans. Cela fait des mois qu'ils ne prennent plus leur repas ensemble ou alors rarement. Bernadette se couche tard, alors elle prend son petit déjeuner vers midi dans sa chambre, quand le président déjeune, lui, habituellement vers midi et demi. Chacun vit sa vie, depuis longtemps d'ailleurs. La mission délicate de Daniel ou de l'homme de maison est que le couple reste le minimum de temps ensemble, car très vite l'ambiance devient électrique.

Aujourd'hui, le président n'a pas faim, ce qui n'est pas bon signe. Il décide de s'allonger dans sa chambre pour essayer de trouver le sommeil. Bernadette est à l'autre bout de l'appartement. Quelques minutes plus tard, le président dort à poings fermés, en apparence. Car, d'un sommeil profond, Jacques Chirac a sombré dans un semi-coma. On essaie de le réveiller, sans succès. Le président est sonné. À la hâte, on décide de le transporter en urgence à l'hôpital de la Salpêtrière.

Après examen, les médecins découvrent que Jacques Chirac a absorbé des médicaments antagonistes, dont le cocktail peut provoquer des dégâts irrémédiables. Calmants et somnifères vont faire l'effet d'une bombe. Le président est au plus mal.

Mais une nouvelle fois, la vie a été plus forte... Jacques Chirac reste deux jours en observation et sortira discrètement, loin des objectifs des photographes. Aucune fuite n'est venue alerter les médias.

5

L'INACCESSIBLE ÉTOILE

Grâce! le sort est trop sévère!
Mon cœur se révolte! Que faire
Pour en étouffer les rumeurs?

FRANÇOIS COPPÉ, *L'Exilée* (1877)

Derrière ce pilier de la grande salle des fêtes, ce 17 mai 1995, une frêle silhouette observe silencieusement le protocole millimétré. Laurence, la fille du nouveau président, regarde son père s'éloigner d'elle un peu plus encore. Daniel, le futur chef de cabinet adjoint du président, n'est pas loin. Elle écoute le discours de Roland Dumas, le président du Conseil constitutionnel, annonçant officiellement la victoire de son père qui vient lui déposer un baiser sur le front, hors caméra. Un voile de tristesse furtif, imperceptible, s'est posé sur le visage du président.

« Laurence, c'est le drame de ma vie[1]. » Comment jouir du bonheur lorsqu'il est amputé de l'essentiel ? Chirac, le rebelle, le rescapé, l'opiniâtre, est enfin au sommet. Que la bataille fut dure. Que la route fut longue. Mais la victoire a comme un goût amer. Lui qui cherche à percer l'insondable mystère de la vie, lui qui avec la force de l'esprit et des esprits auxquels il croit a pu soulever les montagnes pour faire mentir les oracles, il n'a pas réussi à délivrer sa fille Laurence de l'anorexie mentale qui la détruit à petit feu depuis l'âge de quinze ans. Pourquoi lui inflige-t-on cette souffrance ? Pourquoi n'a-t-il pas été capable de la soigner, lui, le sorcier corrézien ? Quel message essaie-t-on de lui faire passer ? Y a-t-il d'ailleurs un message subliminal dans ce drame ?

La vanité du pouvoir ne pèse pas bien lourd devant l'impuissance d'un père ne parvenant pas à délivrer celle qu'il aime : « Peut-être que l'on n'a pas assez fait, au départ, je ne sais pas... Peut-être aurais-je dû faire plus, psychologiquement parlant. [...] Pour moi, c'est un point très douloureux[2]. » Avec ces quelques mots, qu'il prononce avec hésitation, Jacques Chirac fait émerger ce sentiment que partagent beaucoup de parents : la culpabilité...

Sa pudeur face à cette douleur si intense nous empêche de savoir si cet obstacle lui a donné encore plus de force pour gagner ses combats électoraux. Une question demeure et demeurera sans réponse : quel rôle Laurence a-t-elle

---

1. Citation de Jacques Chirac dans *Chirac, l'inconnu de l'Élysée*, de Pierre Péan, Fayard, 2007.
2. *Ibid.*

joué dans la construction intérieure de son père? «Dans le noyau dur de Jacques Chirac, il y a bien sûr sa fille dont il parlait peu[1].» Parfois les mots servaient, selon Jean-Louis Debré, de trop-plein, lorsque Jacques Chirac n'arrivait plus à garder ses souffrances à l'intérieur de lui.

Le drame se noue à l'été 1973. Ce 24 juillet, alors que Bernadette et ses filles Laurence et Claude sont en vacances dans le sud de la Corse à Porto-Vecchio. Laurence, âgée de quatorze ans, de retour d'une balade en voilier, ressent de violents maux de tête, la fièvre monte rapidement. Le premier médecin diagnostique une poliomyélite, un second est persuadé qu'elle a une méningite. En fait, personne ne sait vraiment quelle est la nature du mal qui touche Laurence. Jacques Chirac, alors ministre de l'Agriculture, accompagné d'une équipe médicale, arrive au chevet de sa fille et décide de la faire rapatrier à l'hôpital de la Pitié-Salpêtrière à Paris. Elle reste plusieurs jours dans les mains des médecins, le métier qu'elle rêve d'exercer. Voilà pour la version officielle.

De retour pendant l'été au château de Bity en Corrèze que possède le couple, Laurence décide de ne plus s'alimenter. Commence alors un long calvaire pour la famille Chirac, qui va se souder face à l'épreuve. «Alors que rien ne résiste à Jacques Chirac, que tout lui réussit, soudain sa vie, à travers cet événement douloureux, est heurtée par le tragique et c'est un choc[2].»

Mais la maladie contractée en Corse par Laurence est-elle réellement la cause de sa descente aux enfers? Pour les médecins à son chevet, la méningite aurait pu

---

1. Entretien de l'auteur avec Jean-Louis Debré, juin 2016.
2. Entretien de l'auteur avec Denis Tillinac, juillet 2016.

détruire son hypophyse et entraîner son anorexie. Dans la littérature médicale, on ne trouve aucune trace de lien de cause à effet entre une méningite et l'apparition d'une anorexie mentale. Une chose est certaine, cette maladie frappe principalement les jeunes femmes, et ce mal prend souvent sa source dans le psychisme du patient. Bernadette Chirac va même jusqu'à évoquer un lien entre, dit-elle, « un père si peu là[1] » et la maladie.

Il est vrai que Jacques Chirac est un courant d'air, toujours ailleurs, rarement à la maison, un père en pointillés, comme une ligne de fuite permanente. En juin 1957, le lieutenant Chirac rentre d'Algérie après dix-huit mois de campagne dans le djebel. Il retrouve enfin sa jeune épouse Bernadette. Neuf mois plus tard, son premier enfant arrive au monde : Laurence naît le 4 mars 1958 à Paris. Quatre ans plus tard, le 6 décembre 1962, la famille s'agrandit avec l'arrivée de Claude.

Béatrice de Andia est une amie du couple. Fille d'un avocat d'affaires, *don* Manuel Gonzalez de Andia y Talleyrand-Périgord, marquis de Villahermosa et duc de Dino, et de *doña* Mercedes de Elio, elle est l'une des descendantes du côté de sa grand-mère paternelle de l'illustre diplomate Charles Maurice de Talleyrand-Périgord. Bernadette et Béatrice se sont rencontrées sur les bancs de Sciences-Po et ne se quittent plus. La maman de Bernadette l'adopte au point de la considérer comme sa fille spirituelle. Elles ont en partage les mêmes valeurs, parlent le même langage, sont issues du même milieu social, la haute bourgeoisie. Béatrice se souvient de cette période,

---

1. *Conversation*, de Bernadette Chirac avec Patrick de Carolis, Plon, 2001.

lorsque le couple habitait rue Boissière dans le 16ᵉ arrondissement de Paris : « L'appartement n'était pas très grand, et Bernadette était seule avec les deux enfants. Jacques était déjà conseiller du Premier ministre Georges Pompidou, ces années ne sont pas les plus agréables pour elle, parce qu'elle était seule pour s'occuper de tout[1]. »

L'absence du père : l'argument est implacable et vérifiable. Mais lorsqu'on consulte les experts sur les causes profondes de cette maladie, on découvre qu'elle ne se construit pas exclusivement sur l'absence du père, mais peut aussi prendre racine dans une relation compliquée entre la mère et la fille. L'anorexie peut surgir au contact d'une mère que les spécialistes décrivent comme un personnage fort, rigide, dominant, qui évite l'expression des sentiments et des émotions. Bernadette Chirac pourrait-elle correspondre à ce portrait-robot ?

En 1974, Jacques Chirac devient une personnalité de premier rang. En mai, il est nommé Premier ministre par le nouveau président Valéry Giscard d'Estaing. Là encore, le mari et le papa sont des courants d'air. Quelques passages entre deux déplacements, un déjeuner par-ci par-là, la fuite, toujours la fuite...

Pour immortaliser son arrivée à Matignon, la famille accepte une séance photo pour *Paris Match*. La famille Chirac au grand complet pose dans les jardins. Sur la photo, Laurence porte un pantalon « pattes d'éph » en velours gris et une veste cintrée dans le même tissu. Jacques Chirac, lui, est au premier plan, dans le costume du jeune Premier

---

1. Entretien de l'auteur avec Béatrice de Andia, juillet 2016.

ministre fringant, à qui tout réussit! Si les Français savaient ce qu'il endure à cet instant. À ses côtés, sa fille Claude, encore enfant, toute de rose vêtue dans son tailleur en velours petites côtes. Tout sourire, elle caresse avec son père le poitrail de leur chien qui se roule de joie sur le gazon taillé au cordeau. Bernadette est debout, faisant mine de s'avancer vers l'objectif du photographe.

Derrière ce cliché glamour d'une famille heureuse se cachent beaucoup de douleurs et un secret que l'on protège. Personne ne sait le mal qui ronge sa fille et bouleverse la famille. Laurence Chirac souffre depuis maintenant un peu plus d'un an d'anorexie mentale. Elle a de longues jambes, une silhouette qui ressemble à celle de son père, un brin de malice dans les yeux : « Elle a le regard de son père, aucune timidité pour le coup! Très tôt, une grande facilité d'élocution, en avance dans tous les domaines[1] », raconte sa mère. Les jeunes femmes anorexiques ont une tendance maladive au perfectionnisme, Laurence Chirac n'échappe pas à ce besoin de contrôle permanent. Laurence n'accepte pas le métier de son père, cette façon qu'il a de ne jamais être là. « Il va peut-être être désappointé, mais j'aime beaucoup la musique classique, j'aurais beaucoup aimé que mon père soit compositeur de musique », explique-t-elle d'une voix douce et assurée, dans une des rares interviews diffusées à la télévision dans les années 1970 alors que son père est Premier ministre. Tout sauf la politique, tout sauf accepter de voir partir son père dans cette jungle. Denis Tillinac se souvient de « son regard noir quand je venais

---

1. *Conversation*, de Bernadette Chirac avec Patrick de Carolis, Plon, 2001.

rendre visite à son père, parce que je le lui enlevais en quelque sorte, il n'était plus entièrement à elle[1]».

Son anorexie ressemble à une révolte, un cri envoyé à la face de son père pour qu'il ne l'abandonne pas et qu'il vienne briser le face-à-face avec sa mère. Son état de santé se dégrade. Elle fréquente pourtant les meilleurs établissements, elle est suivie par les médecins les plus compétents, sans que rien ne s'améliore réellement. Il y a des hauts et des bas. Elle réussit à décrocher son bac. Sur les conseils des médecins, Jacques Chirac s'oblige, quel que soit son emploi du temps, à déjeuner chaque semaine au restaurant avec Laurence aux abords du siège du RPR, dans le quartier de l'Assemblée nationale, pour partager un moment seul à seul, pour lui manifester son amour. «Personne n'osait lui parler de sa fille. Parfois, je m'autorisais à demander des nouvelles à Bernadette, à sa sœur Claude, mais jamais à Jacques Chirac, par pudeur, parce que je sentais que ce sujet lui pesait énormément[2].» Au fil des années, Laurence est de plus en plus dépressive. Elle arrive difficilement à poursuivre ses études de médecine. Son corps se décharne et ses forces lui manquent.

Malgré les efforts et l'amour de son père, la pieuvre continue à la tarauder, la dévore de l'intérieur, elle ne pèse «que vingt-sept kilos[3]» et ne pourra aller jusqu'à l'internat. Laurence ne sera donc jamais médecin, la famille s'est fait une raison. Doucement, Laurence se replie sur elle-même, entourée vingt-quatre heures sur vingt-quatre par des infirmières qui la surveillent. Sa vie est murée, elle se coupe

1. Entretien de l'auteur avec Denis Tillinac, juillet 2016.
2. *Ibid.*
3. *Les Chirac: les secrets du clan*, de Béatrice Gurrey, Robert Laffont, 2015.

lentement du monde alors que son père se lance dans la campagne présidentielle de 1995.

S'installe alors un huis clos douloureux, sans issue et dont personne n'ose parler. Une tragédie familiale qui aura de très forts retentissements sur la vie du couple, enfermé dans cette histoire qui n'appartient qu'à eux deux. Pas un jour sans que Jacques Chirac ne prenne des nouvelles de sa fille. Des journées d'angoisse à craindre, à appréhender l'appel des médecins. Car, au total, Laurence tentera huit fois de se suicider. En 1988, en pleine campagne présidentielle, alors que son père combat François Mitterrand, Laurence fait une nouvelle tentative, qui ne sera pas rendue publique.

En revanche, celle de 1990 sera médiatisée. Jacques Chirac sort d'une longue période de doute et d'abattement après avoir perdu sèchement l'élection présidentielle de 1988. Alors que le couple vient de s'envoler pour un voyage privé de quinze jours en Thaïlande, Laurence saute par la fenêtre du deuxième étage de son appartement dans le 14e arrondissement de Paris. On la croit morte et les rumeurs les plus folles circulent dans la capitale. Six heures d'opération sont nécessaires pour la ramener à la vie. Jacques et Bernadette sont revenus à Paris, au chevet de leur fille. Des milliers de lettres de condoléances arrivent à l'Hôtel de Ville. Les conseillers du maire de Paris lui suggèrent de prendre la parole pour faire taire les rumeurs et lui proposent de poser avec ses deux filles sur une photo, ce qu'il refuse catégoriquement. Il ne veut pas exhiber cette douleur, si profonde. Il y a des lignes à ne pas franchir...

Chacun essaie de trouver une explication au geste de Laurence. Des proches de la famille disent qu'elle n'aurait pas supporté de voir ses parents partir et de rester seule, loin de son père. Et si la solution était de tout recommencer de zéro ? Reprendre une vie normale. Cette idée le taraude. Quelques mois après sa défaite de 1988, le guerrier, abattu, est au bord de la dépression. Il veut tout arrêter, la politique, cette vie infernale, pour se consacrer à sa famille, devenir un père comme les autres. Le pense-t-il vraiment ? En a-t-il vraiment envie ? L'avenir en décidera autrement...

Après l'Hôtel de Ville, la famille Chirac s'installe au palais de l'Élysée sept mois après sa victoire. Laurence y a ses appartements. Ses caprices alimentaires mettent sous pression l'équipe de cuisine. Ses « tocs[1] » obligent le cuisinier à choisir des feuilles de salade sans aucune tache. Un travail fastidieux car il faut trier dans chaque cageot de salade pour réussir à trouver les feuilles parfaites, même chose pour les haricots verts, qui doivent tous être de la même taille pour espérer que Laurence regarde l'assiette et décide de prendre sa fourchette. Une sorte de folie à laquelle tout le monde se plie de bonne grâce. À peine le maigre repas terminé, les infirmières vérifient ensuite que Laurence n'a pas caché de nourriture sous le tapis...

À partir de 2007 et le départ de l'Élysée, ses parents l'installent dans un petit appartement dans le 15e arrondissement de Paris. L'aînée de la famille Chirac va un peu mieux, dit-on. Elle n'a toujours pas de vie sociale mais son état de santé s'est stabilisé. Elle sort très peu, fume deux paquets de Gitane sans filtre par jour pour passer le temps, pour combler ses angoisses. Sa dernière apparition remonte au 29 novembre 2012. Pour les quatre-vingts ans du président, elle apparaît sur une photo publiée dans *Paris Match*. Sur le cliché, la famille Chirac au complet : le

---

1. Troubles obsessionnels compulsifs.

couple Chirac, les deux filles, Claude debout et Laurence assise, avec ses cheveux bouclés lui masquant une partie de son visage marqué par la maladie. Elle porte une veste en jeans et des baskets. Martin, le petit-fils, est là, Frédéric Salat-Baroux, le nouveau gendre, mari de Claude, qui fut secrétaire général de l'Élysée pendant le second mandat de Jacques Chirac, essaie de sourire. La famille prend la pause, offrant une image fanée, celle d'un clan qui rappelle, de loin, les jours heureux.

***

Le sort tragique de Laurence encourage son père et sa mère à se battre toujours plus pour la cause des personnes handicapées et de leurs familles. À l'initiative de Bernadette Chirac, la Maison de Solenn en est une réponse concrète. Inaugurée en 2004, elle accueille à Paris des adolescents en difficulté et son financement provient de l'opération « Pièces jaunes ». Jacques Chirac, de son côté, fera voter plusieurs lois sur le handicap, la première alors qu'il est Premier ministre, le 30 juin 1975 – c'est d'ailleurs la première fois que le législateur se penche sur cette question qui semble n'intéresser personne. Une deuxième loi est votée à son initiative en juillet 1987 et porte sur l'accès à l'emploi des handicapés. Enfin, plus près de nous, celle du 11 février 2005, une loi fondatrice portée par la ministre Marie-Anne Montchamp, offre l'égalité des droits et des chances pour les personnes handicapées et permet aux enfants handicapés d'intégrer le milieu scolaire ouvert.

Mais le combat de Jacques Chirac pour l'intégration des personnes handicapées et leur accueil dans des centres adaptés démarre bien avant que la maladie de Laurence ne soit déclarée. «Il portait cet engagement bien avant, mais probablement que son drame personnel a amplifié son combat[1]», selon Marie-Anne Montchamp.

En fait, dès 1967, Jacques Chirac prend conscience de la situation de ces êtres oubliés de la société. Il découvre – alors qu'il n'est encore qu'un simple conseiller municipal – les conditions abominables de vie des handicapés internés. «À cette époque nous n'avions rien à envier aux pouponnières de Ceausescu, les enfants étaient abandonnés à leur sort[2].» En arpentant la campagne corrézienne, Jacques Chirac voit de ses yeux les maltraitances que subissent des enfants dont on ne sait plus quoi faire et que la famille attache à un radiateur au fond de la ferme. Il comprend alors qu'il faut agir rapidement.

Pour Jacques Chirac, cette question du handicap est bien plus qu'un simple sujet parmi tant d'autres. Il en a fait une affaire personnelle et intime. Pour leur offrir le meilleur environnement possible, il choisit la beauté de la campagne corrézienne comme paysage, au quotidien. Le plateau de Millevaches est le lieu idéal pour leur épanouissement. Dans les années 1970, le «jeune loup» de la politique réussit à faire plier l'administration centrale et encourage la création de centres pour handicapés dans les petites communes de Peyrelevade et de Bort-les-Orgues. Ces centres accueillent aujourd'hui encore des adultes et jeunes polyhandicapés, des handicapés mentaux et de jeunes autistes qui dépendent depuis 2007 de la Fondation Jacques-Chirac, devenu le plus gros employeur de Corrèze

---

1. Entretien de l'auteur avec Marie-Anne Montchamp, septembre 2016.
2. Entretien de l'auteur avec Françoise Béziat (directrice de la Fondation Jacques-Chirac, cf. page suivante), septembre 2016.

(huit cent trente salariés), accueillant mille cent personnes handicapées. Françoise Béziat est la directrice de cette fondation. Elle connaît Jacques Chirac depuis 1981. À l'époque, elle n'est encore qu'une jeune inspectrice à la DAS en charge de la Haute-Corrèze, dans cette belle et rugueuse région d'Ussel qui abrite la circonscription de Jacques Chirac. Elle ne tarit pas d'éloges sur lui, séduite par cet homme « si sympathique, d'une grande assiduité au conseil d'administration, si sérieux lorsqu'il se penche sur les dossiers et surtout si proche des malades[1] ».

Chaque semaine ou presque, sur l'agenda très rempli du maire de Paris et député de Corrèze, un long créneau reste obstinément vide. Ce trou dans l'emploi du temps intrigue ses collaborateurs, car personne ne sait où il se trouve, jusqu'à ce qu'on découvre que, en toute discrétion, il part à la rencontre de « ses handicapés », comme il les appelle affectueusement, au centre de Peyrelevade. Françoise Béziat se souvient qu'« il faisait toujours le tour de l'établissement, allait à la rencontre des enfants, dont l'aspect physique pouvait être repoussant, il le faisait en toute simplicité, avec beaucoup de sincérité[2] ». Ce n'est pas une fuite mais une immersion, comme une plongée en eau profonde réservée à quelques initiés. Sa manière à lui de se ressourcer, un peu comme lorsqu'il s'échappe de l'Élysée pour retrouver Jacques Kerchache avec lequel il quitte, quelques instants, les rives polluées de la politique pour partir au large.

Ses *mains* enveloppent celles d'enfants ou de jeunes adultes handicapés, des êtres dont le monde paraît être à

---

1. Entretien de l'auteur avec Françoise Béziat, septembre 2016.
2. *Ibid.*

des années-lumière du sien. Grâce à son énergie, il réussit à entrer en communication avec eux. Scène quasi mystique dont il révèle le mystère dans un discours prononcé pour le vingt-septième anniversaire de la création de l'association de Peyrelevade, et les vingt ans de la loi sur le handicap de 1975 : « Est-ce par hasard que sa main que je tenais dans la mienne s'est soudainement animée pour me serrer un doigt ? Peut-être. Mais je demeure persuadé que, pendant quelques minutes, elle et moi, nous nous sommes rejoints[1]. »

Son dernier meeting de campagne présidentielle de 2002, Jacques Chirac choisit de le faire à Ussel, sur ses terres d'élection. Malgré son emploi du temps et la pression de ses équipes, il rend une visite au centre de Sornac, où il retrouve de jeunes adultes qu'il avait connus tout petits. « Un enfant en chaise roulante s'est agrippé à lui, lui réclamant un baiser. Spontanément, Jacques s'est penché vers lui. Je me souviens de la réaction de cet enfant dont le visage s'est détendu ; il y avait comme un courant, une chaleur qui passait entre eux[2]. »

Les personnes handicapées sont pour lui comme les civilisations lointaines pour lesquelles il s'est toujours battu. Plus elles sont méprisées, plus il se sent concerné... Son combat en faveur des personnes handicapées relève du même mécanisme. Sous des apparences parfois dérangeantes vibrent des âmes, une sensibilité que Jacques Chirac cherche à exhaler avec la même énergie que lorsqu'il tient une œuvre d'art entre ses *mains* et qu'il tente de découvrir l'artiste qui l'a façonnée.

---

1. Discours du 1er juillet 1995, Bort-les-Orgues (Corrèze).
2. Entretien de l'auteur avec Françoise Béziat, septembre 2016.

La *main* de Jacques Chirac, toujours elle, celle qui se pose sur son ami Pierre Bédier, celle qui, au contact d'une œuvre, est capable de sentir battre le cœur d'un artiste chinois mort il y a deux mille cinq cents ans, sa *main* toujours, qui réussit à faire jaillir la pensée et l'émotion chez des personnes handicapées. Étrange pouvoir qui donne une autre dimension à son combat pour le handicap. « Il faut donner ce que l'on a reçu[1] », une phrase qu'aime beaucoup prononcer Jacques Chirac. Donner sans compter, le plus discrètement possible. Se dessine en ombre chinoise la personnalité d'un homme qui n'a jamais voulu ciseler son bilan, vivant l'instant comme des moments d'éternité. Intérieurement, lorsqu'il tient la main de ces enfants qui retrouvent le sourire, on l'imagine penser à Laurence, sa fille, dévorée par la maladie, une maladie face à laquelle ses *mains* resteront impuissantes.

---

1. Phrase citée à l'auteur par François Baroin, juin 2016.

En ouvrant la porte, Daniel a compris qu'il se passait quelque chose de grave. Claude a les traits tirés. La porte du bureau du président est fermée pour qu'il n'entende surtout pas les conversations de sa fille avec l'hôpital. Laurence, qui vit recluse dans son appartement du 15ᵉ arrondissement, est tombée malade. Un grave problème pulmonaire qui nécessite une intervention chirurgicale en urgence. Selon ses proches, Laurence semblait avoir remonté la pente, elle avait même retrouvé un poids normal, la vie avait repris le dessus et la douleur qui la dévorait de l'intérieur semblait s'être estompée. Mais Laurence souffre d'un abcès aux poumons. Elle tousse, crache abondamment. Son tabagisme sûrement, qui la tue à petit feu. Après des examens radiographiques, les médecins craignent une tumeur bénigne ou maligne. Il faut intervenir très vite. Au loin, le président demande pourquoi on a fermé la porte de son bureau. Il bougonne, maugrée... Personne ne lui répond et ça l'agace. Daniel ouvre la porte et lui sourit, va s'asseoir à côté de lui, comme si de rien n'était.

6

LE GUERRIER DE LA PAIX

En guerre comme en amour, pour en finir,
il faut se voir de près.

LOUIS-NAPOLÉON BONAPARTE

« La guerre n'exclut pas la paix. La guerre a ses moments paisibles. Elle satisfait tous les besoins de l'homme, y compris les besoins pacifiques. C'est organisé comme cela, sinon la guerre ne serait plus viable[1]. »

Daniel a légèrement baissé le son de la télévision, car le président somnole dans son fauteuil. Dans une autre pièce, les gardes du corps et le chauffeur touillent leur café. Ils reprendront le travail vers midi et demi pour emmener le président déjeuner chez lui. Claude est au téléphone,

---

1. *Mère courage et ses enfants*, de Bertolt Brecht.

comme souvent, son fidèle golden retriever couché en boule à ses pieds. Les chaînes de télévision passent en boucle les images des attentats de Paris qui ont causé la mort de cent trente personnes et blessé quatre cent dix-sept autres. Depuis le 13 novembre 2015, la France est en deuil et en guerre contre le groupe État islamique, qui dispose d'un territoire à cheval sur l'Irak et la Syrie, une poche de haine qui a choisi de frapper la liberté et notre démocratie. Les reportages se succèdent, on voit des visages marqués par le deuil, des larmes couler. C'est l'effroi. On voit aussi des policiers masqués et lourdement armés qui investissent des immeubles. Daniel regarde ces images hypnotiques. Il tourne la tête vers le président. S'il pouvait encore agir, qu'aurait-il fait ? Lui qui connaît si bien cette région du Moyen-Orient et ses dirigeants. Daniel change de chaîne et monte légèrement le son car il aimerait entendre cet expert qu'il apprécie. Sur l'écran, ce spécialiste explique que l'État islamique est un legs des Américains. L'invasion de ce territoire par les troupes américaines en 2003 a fait germer les graines du djihadisme qui allaient prospérer, pour donner naissance en 2014 à l'État islamique, un chiendent venimeux si difficile à arracher du sol. Tout a une cause...

Jacques Chirac a su éviter le piège irakien comme si avant tout le monde il avait pressenti ce qui grondait au-dessus de nos têtes et que personne n'entendait. Une guerre qui avait un but : redessiner la carte du Moyen-Orient. Les Américains l'ont perdue, et douze ans plus tard, les conséquences de ce conflit nous explosent au visage. Lui qui souvent hésite, procrastine, à qui l'on reproche sa mollesse, cette fois-ci a tranché, sans se préoccuper du patron du MEDEF, Ernest-Antoine Seillière, inquiet, comme quelques barons atlantistes, des répercussions économiques d'une telle décision: «La nomenklatura française soutenait George W. Bush parce que c'était l'Amérique, parce que nous étions la France, et parce que la France doit toujours rester unie à l'Amérique[1].»

Ce 14 février 2003, dans l'enceinte de l'ONU, la tension est à son comble. Pendant quinze minutes, devant le Conseil de sécurité, le ministre des Affaires étrangères français, Dominique de Villepin, présente avec panache le choix du président: «La guerre est toujours la sanction d'un échec», dit-il en regardant le secrétaire d'État américain, Colin Powell, et il prévient que «cette guerre aurait des conséquences incalculables pour la stabilité de cette région meurtrie et fragile, elle renforcerait le sentiment d'injustice, aggraverait les tensions et risquerait d'ouvrir la voie à d'autres conflits». La France dit non aux États-Unis. Les Français devant leur poste de télévision saluent le courage du président Chirac et le soutiennent contre l'élite; les sondages lui donnent raison.

Jacques Chirac dans les habits de l'homme de paix marchant sur les traces du général de Gaulle, est-ce si simple? Pour Jean-Marc de La Sablière, qui a manœuvré en coulisses d'abord comme sherpa du président puis comme représentant permanent de la France au Conseil de sécurité, Jacques Chirac «a donné le cap et mis toute son énergie dès 2002 pour empêcher les Américains de rentrer dans une logique de guerre en Irak[2]». Lors de ce discours

1. *Avec Chirac*, de Philippe Bas, L'Archipel, 2012.
2. Entretien de l'auteur avec Jean-Marc de La Sablière, septembre 2016.

historique de Dominique de Villepin, il est celui qui est assis juste derrière le ministre des Affaires étrangères. Il assiste aux premières loges à cette allocution gravée dans les mémoires et sent monter les frissons lorsque, pour la première fois, dans cette enceinte feutrée, des applaudissements retentissent dès la fin de l'intervention de Dominique de Villepin.

Au fil des années, il a appris à connaître Jacques Chirac, à cerner ce qui à première vue pouvait ressembler à des contradictions : « Jacques Chirac est comme un puzzle, il ne m'a jamais fait part de sa stratégie globale en matière de politique étrangère, mais il y avait une cohérence. Ses liens si particuliers avec la Russie prennent racine dans son enfance. Sa volonté de maintenir la paix au Moyen-Orient renvoie à son attachement aux civilisations lointaines. De la même manière, lorsqu'il s'engage dans un dialogue stratégique avec Pékin, on ne peut comprendre cette confiance ou cette vision si on fait abstraction de son intérêt pour l'histoire et la civilisation chinoises. Il y a une logique qu'on perçoit aux fondements proprement chiraquiens, des convictions parfois intimes[1]. »

***

À quoi peut-il donc rêver ce matin ? Le président a le visage apaisé, loin du tumulte cathodique. Avec ses longues *mains* recouvertes de petites taches de vieillesse posées sur les cuisses, il ressemble à un vieux lion repu après des années de combat, blotti au milieu de ses œuvres d'art, de ses livres, de ses crânes, de ses sculptures, qui le protègent des intempéries de la vie. La journée va être longue. Des

---

1. *Ibid.*

personnalités, des amis, des fidèles, des grognards de la première heure, ceux qui ont gagné à ses côtés la bataille de 1995, des hôtes étrangers, vont pousser la porte comme chaque jour depuis des mois. Tous vont essayer de l'interroger sur les grands tourments du monde, sonder son cœur et finir par se parler à eux-mêmes, faute de réponse. Le contact se rompt doucement, le dialogue avec le président est une longue série de zigzags. Pour pallier ces trous de mémoire, Daniel a mis en place une méthode, qu'il applique méticuleusement. Pour chacun des visiteurs qui vont pousser la porte, il prépare le président à l'entretien. Il sait que la maladie a réduit sa capacité d'enregistrer, de se souvenir d'une conversation immédiate. Jacques Chirac souffre d'anosognosie, un trouble neurologique qui fait perdre au malade la conscience de sa maladie. Environ vingt minutes avant que le visiteur ne prenne place dans le bureau de Jacques Chirac, Daniel lui rappelle les derniers événements marquants de l'actualité, lui remémore la dernière prise de parole de son invité à la télévision. Le compte à rebours est alors lancé. Daniel est à l'affût, guette le moindre silence, qui pourrait laisser augurer que le président n'est plus connecté à la vie. De temps en temps, comme un garagiste d'une autre époque, Daniel met un petit coup de manivelle pour relancer la mémoire du président et maintenir le contact avec son hôte. Et tout le monde n'y voit que du feu… Depuis plusieurs semaines, Daniel ne le quitte pas de la journée. Cela fait maintenant trois ans qu'il vit avec Jacques Chirac et qu'il partage ses entretiens.

Probablement viennent-ils chercher dans le regard du président ce qui pourrait ressembler à l'onction d'un sage, un assentiment, un simple geste bienveillant, un ultime signe d'amour. Il y a quelque chose de beau et triste à la fois dans ce ballet quotidien. Daniel aimerait bien lui aussi percer son mystère, comprendre ses paradoxes. En le regardant somnoler, il repense à ce poème de Supervielle qu'il lisait lorsqu'il était jeune :

«Quand le cerveau gît dans sa grotte
Où chauve-sourient les pensées
Et que les désirs pris en faute
Fourmillent, noirs de déplaisir,
Quand les chats vous hantent, vous hantent
Jusqu'à devenir chats-huants
Que nos plus petits éléphants
Grandissent pour notre épouvante[1]...»

Jacques Chirac vient d'ouvrir les yeux, se tourne vers la télévision, qui exhibe des combattants de l'État islamique à l'entraînement. Retour à la réalité. Daniel ose alors cette question : «Président, qu'est-ce qui vous a le plus marqué dans votre vie ? »

Jacques Chirac réfléchit, les secondes durent des heures.

«La guerre d'Algérie, ce furent des moments uniques...»

Une petite phrase courte qui a jailli. Elle porte en elle mille souvenirs enfouis, un engagement dont il a peu parlé au cours de sa vie politique. Le président tourne alors la tête vers une photographie accrochée au mur de son bureau, offerte par son ami, le milliardaire François Pinault, le *tycoon*[2] de l'art contemporain. L'image, sombre,

---

1. Jules Supervielle, «Quand le cerveau gît dans sa grotte», *Le Corps tragique*, 1959.
2. Terme d'origine chinoise, *tycoon* est dérivé du mot japonais *taikun*, qui veut dire «grand seigneur». En anglais, ce mot signifie «magnat» ou «homme d'affaires prospère».

presque intriguante, représente un homme de dos, dont on ne distingue pas le visage, probablement un Touareg. Il porte le chèche traditionnel. Ce tissu enroulé sur sa tête est froissé de mille circonvolutions qui forment comme des rides sur un visage buriné par la rudesse du désert. Le cliché ressemble à une peinture hyperréaliste. Jacques Chirac observe intensément cet homme, s'arrête sur les plissés de ce chèche usé par le temps, maculé de taches. Il s'est souvent demandé pourquoi il posait de dos. Parfois, il croit le reconnaître. Il en a croisé si souvent lorsqu'il combattait dans le djebel. À travers cette image, ce sont les odeurs, des sensations qui refont surface, la sueur qui se mélange à la poussière venue du désert, la langue qui sèche lorsque les combats font rage. Il regarde souvent cette image parce qu'elle lui suggère le voyage, l'aventure, quelque chose qui sent la poudre, le danger... Au fond, tout ce qui lui plaît.

La question de Daniel, anodine en apparence, a réveillé de vieux souvenirs, ceux de son épopée algérienne lorsqu'il était officier de l'armée française, engagé dans le 6e régiment des chasseurs d'Afrique (RCA). Cette période de sa vie a forgé le personnage et l'a façonné à jamais : «Ces mois-là ont été les plus passionnants de mon existence», dit-il. Un moment crucial dans la vie de Jacques Chirac, car son destin n'a pas encore choisi son camp. Il se rêvait aventurier, le voilà militaire, après tout ce n'est pas si loin... De quoi rassasier son goût du risque, sa soif d'ailleurs. La guerre comme un dérivatif à l'ennui.

Quelques jours après son mariage avec Bernadette, le 16 mars 1956, il débarque en Algérie, du côté de Tlemcen, à la tête d'un escadron de trente-deux hommes. Mais l'aventure de sa vie a failli tourner court. Un an auparavant, en 1955, Jacques Chirac fait son service militaire à Saumur... Toute la promotion des élèves officiers de réserve de Saumur est rassemblée au garde-à-vous dans «l'amphi-garnison». Ils attendent, la gorge serrée, leur classement de sortie. La phrase du général est un coup de poignard dans le dos de Jacques Chirac: «Messieurs, ce jour aurait dû être un jour de joie. C'est un jour de tristesse. Nous avons réchauffé une vipère dans notre sein. Il n'y aura pas de major[1].» Le regard du gradé se tourne vers l'aspirant Chirac. Ses errances de jeunesse viennent de le rattraper. La sécurité militaire a découvert qu'il était fiché comme sympathisant communiste.

L'armée, dans laquelle il aimerait faire carrière, lui claque la porte au nez. Pendant sa formation, il n'avait pourtant rien négligé pour s'attirer les bonnes grâces de ses supérieurs. Lui qui n'était pourtant pas une grenouille de bénitier allait à la messe pendant la semaine. Il veut être le meilleur et s'en donne les moyens. Pas question de rater le train de l'histoire, pas question de manquer cette grande aventure. Alors, pour conjurer le sort, il décide de faire jouer ses réseaux à Paris. D'abord, un cousin de son beau-père, un certain Geoffroy qui ne lèvera pas le petit doigt pour lui. Il se tourne alors vers son professeur de Sciences-Po, Jean Chardonnet, avec qui il avait fait quelques voyages pédagogiques inoubliables. Un homme qu'il respecte et qu'il apprécie. Bonne pioche, Jean Chardonnet est ami avec le général Koenig, qui comprend vite que le jeune Chirac n'est pas communiste. La fiche des Renseignements généraux est alors détruite, le jeune aspirant peut récupérer

---

1. Citation tirée du blog «Aperçus d'histoire et société contemporaine» de G. Belorgey (engagé avec Jacques Chirac en Algérie).

sa place de major de promotion. Reste à rejoindre l'Algérie. Car le 11e régiment des chasseurs d'Afrique est affecté à Berlin. Nouvel espoir et nouvelle déconvenue.

Le troisième escadron est envoyé en Algérie, mais sans le major de promotion Chirac, car l'état-major souhaite utiliser ses compétences en russe en l'affectant à un poste de traducteur. Le rebelle refait alors surface, il désobéit et décide de partir avec ses hommes pour quatorze mois de « crapahutes », de combats, de ratissages. Quelques jours plus tard, le voilà donc sur son « piton » de Souk-el-Arbaa, près de la frontière marocaine, libre et secrètement épanoui. « La guerre d'Algérie fait partie des souvenirs qui sont restés intacts dans sa mémoire. Il a la nostalgie de cette camaraderie, de cette fraternité d'armes, de cette vie simple avec ses hommes », selon Daniel.

Jacques Chirac est très « Algérie française », mais là n'est pas l'essentiel. Là-bas, il ne fait pas de politique, il apprend la vie. D'abord, il doit commander des hommes, « cheffer », comme il dit. Il apprend la bravoure, découvre la peur de mourir, ressent dans sa chair la fragilité de la vie lorsqu'une balle siffle près de ses oreilles. Il aime cette vie rustique et cette solidarité sincère que l'on ne connaît qu'en temps de guerre.

L'Algérie fait office de laboratoire pour celui qui va diriger le pays pendant près d'un quart de siècle. Ici, le chef n'a pas le droit à l'erreur. Sa mission, il la vit au plus profond de lui-même, partage tout avec ses hommes, les repas, leur galère, leur prodigue des soins, comme un grand frère protecteur. Jacques Chirac se sent l'âme du soldat. Toujours aux avant-postes, juste et sévère à la fois, bref, un chef que l'on aime et que l'on respecte. « Dans l'avion, au retour d'un G8, ou d'une réunion internationale, lorsque nous nous détendions après des nuits de négociation, le président parlait souvent de la guerre d'Algérie. Il aimait l'armée, c'est une évidence. Il a gardé de cette guerre l'idée que l'armée française ne devait jamais être humiliée et il portait une attention toute particulière au sang versé par les soldats français[1]. »

La guerre a démultiplié sa vie, dilaté des instants, d'une incroyable intensité, qu'il conserve comme des concentrés d'émotions, comme il le révèle dans un entretien à *Paris Match* du 24 février 1978 : « Pour moi et contrairement à ce que l'on a pu penser, ce fut un moment de très grande liberté et probablement un des seuls moments où j'ai eu le sentiment d'avoir une influence réelle et directe sur le cours des choses parce qu'il y allait de la vie d'hommes que j'avais sous mes ordres. C'est le seul moment où j'ai eu le sentiment de commander. »

En 1956, la route de Jacques Chirac n'est pas encore tracée. Il a démarré sa vie d'homme avec Bernadette, sa jeune épouse, qui depuis leur mariage l'a très peu vu puisque, dès le lendemain des noces, il part en Algérie... Furtivement, on croirait voir Bonaparte au lendemain de son mariage avec Joséphine de Beauharnais, prenant le commandement de l'armée d'Italie. Bernadette rêve d'un voyage de noces qu'elle n'aura jamais. Elle sent bien que ce garçon n'est décidément pas comme les autres. Il est sur le point de chavirer et de lui échapper. Il aime l'armée et l'uniforme, « fana mili », comme on dit. Jacques Chirac voudrait rempiler, pour continuer l'aventure ailleurs...

Il faut alors toute la force de conviction du directeur de l'ENA pour faire revenir le jeune Chirac à la réalité. Car,

---

1. Entretien de l'auteur avec Jean-Marc de La Sablière, septembre 2016.

avant son départ pour l'Algérie, Jacques Chirac avait été reçu au concours de l'ENA, impossible de s'y dérober. Il est démobilisé le 3 juin 1957. Après avoir vécu l'aventure algérienne, la vie à Paris lui paraît bien fade...

Son histoire avec l'Algérie n'est cependant pas terminée. Jacques Chirac fait partie de ceux qui croient encore à l'Algérie française, contrairement à la plupart de ses camarades de l'ENA, persuadés qu'il sera très difficile de conserver ce territoire dans le giron de la République. En France, sa fille Laurence, née en mars 1958, vient de souffler sa première bougie, mais le jeune papa pense déjà à repartir. Un départ comme une fuite, un désir irrépressible de quitter cette vie à Paris qui lui correspond si peu.

Diplôme de l'ENA[1] en poche, il apprend qu'il doit partir comme renfort administratif en Algérie. Le directeur de l'ENA prenant la peine de préciser que ceux qui ont déjà fait leur service militaire en Algérie peuvent être dispensés. L'occasion est trop belle. L'officier Chirac ne réfléchit pas une seconde, il fonce, traitant au passage de « trouillards » ceux qui ont souhaité rester en France. Cinquante-six élèves, dont cinq femmes, et parmi lesquels certains ont déjà combattu sur le terrain, partent en Algérie.

Le 17 avril 1959, la famille Chirac s'installe à Alger et Jacques Chirac est nommé chef de cabinet de Jacques Pélissier, directeur général de l'agriculture et des forêts qui, plus tard, deviendra son directeur de cabinet à Matignon. Entre-temps, le général de Gaulle est revenu aux affaires. Le 1er juin 1958, il est nommé président du Conseil, le dernier de la Quatrième République...

---

1. Jacques Chirac sort seizième de la promotion Vauban.

Chirac s'attelle à la tâche avec passion. Sa mission : appliquer « le plan de Constantine » décrété par le général de Gaulle, qui prévoit notamment l'attribution aux agriculteurs musulmans de deux cent cinquante mille hectares de nouvelles terres et un effort dans le domaine scolaire considérable.

Au fil des mois, la situation en Algérie devient de plus en plus délicate. Le quadrillage militaire n'est plus en mesure de pacifier le territoire. Les pieds-noirs s'inquiètent pour leur avenir. Dans la promotion Vauban, on évoque les généraux qui pourraient se retourner contre la République. On se réunit, on discute entre copains de promo. Ils sont une petite poignée d'énarques qui ont compris que la cause était perdue. Parmi eux, Jacques Rigaud, Jacques Friedmann, Bernard Stasi, des hommes qui resteront des amis proches de Jacques Chirac. Pierre Joxe est là aussi, il fait son service militaire... Pierre est le fils de Louis Joxe, secrétaire d'État auprès du Premier ministre Michel Debré. Lui aussi est convaincu que l'indépendance est inéluctable et il ne peut littéralement pas souffrir Chirac. Encore aujourd'hui, lorsqu'on évoque leurs relations d'alors, il ne cache pas qu'elles furent exécrables. Et tous les autres s'en souviennent encore. Un soir, lors d'un dîner chez Bertrand Labrusse, l'un des camarades de la promotion Vauban, « une terrible engueulade » les oppose. Joxe dénonce la torture et prône l'indépendance, Chirac évoque les exactions du FLN...

Et puis arrive la journée des barricades, le 24 janvier 1960. Une foule compacte se rassemble dans le centre d'Alger parce qu'elle pressent que le général de Gaulle est en train de la lâcher. Son « Vive l'Algérie française » prononcé à Mostaganem semble bien loin.

Pendant cette semaine de grande confusion, quelques membres de la promotion Vauban se réunissent dans le bureau de Friedmann. Ils décident de lancer une pétition de soutien aux institutions et au général de Gaulle car ils savent que l'Algérie ne tient plus qu'à un fil; ils refusent de basculer dans le camp des ennemis de la République. Un seul absent : Jacques Chirac. Ses amis signent pour lui.

Le jeune Chirac vitupère, s'emporte : « Cette pétition est grotesque », dit-il. Son soutien au pouvoir va de soi, pas besoin d'écrire son nom en bas d'une pétition et pas question de signer un chèque en blanc, fût-il au général de Gaulle. Sans l'avouer, Jacques Chirac se sent proche des insurgés, dont il comprend le combat, mais sa signature au bas de cette pétition est un blanc-seing de sa loyauté envers le général et ses institutions... Imaginez si ses amis n'avaient pas fait figurer son nom en bas du document ! Son destin politique aurait pu être tout autre. « Chirac n'aime pas beaucoup la rébellion[1] », résume son ami Jacques Friedmann.

Aventurier quand il s'agit de combattre aux côtés de ses hommes, fougueux même, parce qu'il est du ressort de l'instinct, de la force brute presque animale, mais respectueux, pour ne pas dire soumis, lorsqu'il s'agit d'assurer la continuité du service public, de respecter les ordres, d'accomplir la mission demandée. Attitude ambivalente, de laquelle émerge une nouvelle fois l'enfant Chirac, déchiré entre ses pulsions de fuite et son respect de l'autorité.

Quand la plupart de ses camarades comprennent que la bataille est perdue, lui croit jusqu'au bout à l'Algérie

---

1. Citation d'un article de Raphaëlle Bacqué dans *Le Monde* du 1er mars 2003.

française, même si les faits lui démontrent l'inverse. Il
sait bien que la violence du FLN est quotidienne, que la
pression sur la population est de plus en plus forte. Comme
ce jour où, accompagné de son directeur Jacques Pélissier,
ils vont remettre dans un village des titres de propriété à
des familles paysannes, leur accordant de la terre et des
animaux. Il s'agit de mettre en œuvre le plus rapidement
possible « le plan de Constantine ». Lors de cette cérémonie,
ils remarquent que les familles ont l'air apeuré, aucune
ne veut s'exprimer. Le lendemain, elles seront égorgées
par le FLN. La guerre se termine le 18 mars 1962, avec
la signature des accords d'Évian. L'Algérie acquiert son
indépendance le 5 juillet 1962.

C'est tout cela qui se cache dans les plis poussiéreux du
chèche de cet inconnu qui pose sur cette photographie. De
la nostalgie ? Sûrement, le sentiment que sa vie aurait pu
être tout autre chose. La guerre, le devoir avec ce sentiment
de servir une cause juste, c'est du présent à l'état brut
qu'il est impossible de raconter avec des mots... Jacques
Chirac aurait pu faire commerce de sa guerre d'Algérie,
l'amplifier pour donner de lui l'image d'un héros. Il n'en
fit rien. On parle pour lui, beaucoup racontent ses actes
de bravoure, son courage qui frôle la témérité : sa blessure
au visage lors d'une embuscade, quand une balle touche
son casque. « Rien de grave », dira-t-il pour rassurer ses
hommes, sauvé, ce jour-là, parce qu'il portait un deuxième
casque. Quelques semaines plus tard, le sous-lieutenant
Chirac est promu lieutenant.

***

Daniel le sait, plus que quiconque, «son» Chirac est un guerrier, habité par un profond désir de paix. Au combat, pendant les embuscades, ce qui compte, c'est de rester en vie. Comme si ces combats violents lui avaient donné les règles essentielles pour gagner les batailles politiques à venir : ordre, courage et ruse. Et puis, au plus profond de lui-même, Jacques Chirac a trouvé la fraternité des armes, pour ne pas dire une deuxième famille, lui le fils unique, au-dessus duquel plane l'ombre de sa sœur Jacqueline, n'est plus seul, il y a ses hommes, qu'il faut protéger, encourager et parfois punir, «un chef, c'est fait pour cheffer», aime-t-il répéter.

Le 5 décembre 2002, il y a longtemps que les armes se sont tues. L'Algérie est indépendante depuis cinquante ans. Jacques Chirac est président de la République et entame son deuxième mandat... La guerre d'Algérie continue de couler dans ses veines, comme une aventure humaine unique qui l'a forgé. Avec le temps, son épopée de jeunesse, son goût pour les armes, son désir profond d'embrasser la carrière militaire se sont dissipés.

Ce jour-là, il inaugure le mémorial des soldats de la guerre d'Algérie, un discours passé inaperçu mais qui révèle à quel point cette guerre l'a marqué dans sa chair. Elle fut un rite initiatique : «Il y a eu la découverte de paysages grandioses et rudes. Les couleurs et les rythmes de terres familières et lointaines. Il y a eu la mission impérieuse de protéger des populations qui faisaient confiance à la France. L'isolement des unités dans le djebel. L'alternance de l'attente et des combats soudains contre un ennemi imprévisible, insaisissable. Il y a eu l'expérience de la souffrance, de la mort, de la haine. De retour en France, beaucoup, qui avaient servi avec honneur, ont porté seuls le poids de cette guerre dont on ne parlait pas et qui a laissé de profonds stigmates dans notre mémoire nationale.» À travers cet hommage vibrant à tous les soldats tombés en Afrique du Nord, c'est de lui dont il parle. Ce jour-là, debout à la tribune, il voit défiler les paysages, les chemins caillouteux, sent ses pieds qui le font souffrir dans ses rangers fatiguées, il entend les armes qui claquent, les souvenirs remontent à la surface, comme des bouffées de nostalgie. Un an après ce discours sur la guerre d'Algérie, le même homme choisit de ne pas soutenir les Américains en Irak... Quelle raison secrète et intime l'a poussé à ne pas engager les soldats français dans cette région du monde? À cette époque, les observateurs évoquent un choix diplomatique audacieux, certains critiquent même sa décision qui, disent-ils, risque d'isoler la France. La cause profonde de ce refus de faire la guerre, lui qui aima tant la mener, est à chercher dans sa «troisième enveloppe», là où se cache son jardin secret: «La vision chiraquienne de la culture universelle est indissociable de sa vision de la marche du monde. Quand il refuse, en 2003, de s'engager dans la guerre en Irak, il fait un acte politique mais également un acte culturel. [...] Il refuse le choc des civilisations, il refuse qu'on dresse le monde arabo-musulman contre le monde occidental[1].»

Jacques Chirac n'était pas pour autant un chef d'État pacifiste: «Si la force devait être utilisée, il n'hésitait pas, je pense notamment à la Bosnie[2] où nos troupes ont été

---

1. Interview de Jean-Jacques Aillagon sur Europe 1, le 21 juin 2016 (jour de la commémoration des dix ans du musée du Quai Branly).
2. Jacques Chirac a joué un rôle primordial, en 1995, dans le règlement du conflit en Bosnie-Herzégovine. À la suite de la prise d'otage de soldats de la Forpronu utilisés comme boucliers humains par les forces serbes en

engagées. En revanche, il voulait que l'utilisation de la force soit proportionnée. Il était aussi très attentif à ce que les civils souffrent le moins possible et l'ancien lieutenant en Algérie savait de quoi il parlait[1].»

Que va-t-il rester de lui quand l'usure du temps aura fait son œuvre? Sa parenthèse guerrière en Algérie que les Français ont déjà oubliée n'aura été qu'une épopée enivrante qui disparaîtra des mémoires. Mais l'homme de paix restera gravé dans les livres d'histoire. Pas une paix écrite par un diplomate ou par un homme politique calculateur, mais une paix sincère d'un homme qui connaissait les dégâts que provoquait l'usage de la force. En voulant protéger le berceau de l'humanité, blotti entre le Tigre et l'Euphrate, en militant pour un cessez-le-feu en 2006 entre le Hezbollah et Israël, ou dans son implication personnelle dans la recherche d'une solution au conflit qui oppose l'Arménie et l'Azerbaïdjan qui se battent pour le Haut-Karabagh, un petit territoire coincé entre les deux pays, Jacques Chirac s'est érigé en homme de paix. En février 2006, au château de Rambouillet, le président Chirac réussit à faire asseoir, à la même table, le président arménien, Robert Kotcharian, et le président azéri, Ilham Aliev, deux ennemis qui se livrent une guerre sans merci depuis des décennies. Pour tout cela, Jacques Chirac est déjà entré dans l'histoire.

---

juin 1995, il prend l'initiative de la création de la Force de réaction rapide (FRR) et implique les États-Unis de Bill Clinton.
1. Entretien de l'auteur avec Jean-Marc de La Sablière, septembre 2016.

13 décembre 2015 – 20 heures
Jacques Chirac serait entre la vie et la mort... Ce dimanche, la rumeur court comme un feu dans la garrigue, poussé par les vents incontrôlables des réseaux sociaux. Le Tout-Paris germanopratin a détourné quelques instants le regard des écrans de télévision qui dévoilent, à cet instant, les résultats du second tour des élections régionales, des résultats beaucoup moins mauvais pour les socialistes qu'initialement annoncés. Tout le monde a entendu parler de cette rumeur, sait, croit savoir, ou fait semblant. Il se murmure que les heures de Jacques Chirac seraient comptées, selon des «sources bien informées», comme disait Coluche. Les rédactions s'affolent. Tous les proches, les amis, les fidèles du président sont contactés. La guerre des médias fait rage, qui sera le premier à annoncer le décès du président Chirac ? Lors de la mort de François Mitterrand en janvier 1996, l'AFP et l'agence Reuters se livrèrent un duel, une bataille contre les secondes, pour être les premiers à annoncer la mort du «Sphinx».

Cette fois-ci, ils sont des dizaines à partir sur la ligne de départ, comme une meute de «chiens» affamés. «Pouvez-vous nous confirmer la mort de Jacques Chirac?» Cette question, des journalistes vont la poser des dizaines de fois. Les interlocuteurs sont embarrassés, consternés. Beaucoup n'en savent rien ou pas grand-chose. Comme tout le monde, ils ont appris que le président est entré à l'hôpital, le 9 décembre, pour un bilan de santé complet. Mais pas de quoi s'inquiéter...

Les journalistes insistent, multiplient les appels... La pression est à son comble. Claude Chirac s'était pourtant fendue d'un communiqué, comme aux grandes heures de l'Élysée, envoyé aux rédactions quelques jours auparavant, justement afin de couper court à toute rumeur. Mais rien à faire, les médias sont affamés, persuadés qu'on leur cache quelque chose. C'est vrai, le président est bien à l'hôpital. Il a contracté une bronchite qui ne passe pas, et puis les médecins doivent aussi se pencher sur son rein, le seul qui lui reste, et lui poser une sonde pour l'aider. Quelqu'un dans Paris a inoculé le poison du mensonge ? Des mauvaises langues accusent Bernadette Chirac de trop se répandre sur l'état de santé de son mari, dans les médias, chez les commerçants du quartier, dans les dîners en ville. D'autres y voient la main des sarko-zystes, une rumeur en forme de sombre vengeance. Mais quel serait l'intérêt ?

Loin du bruit de la ville, dans sa chambre d'hôpital, Jacques Chirac savoure un canard laqué, l'un de ses plats préférés, en compagnie d'un ami. Il profite de ce petit moment de liberté, sans se soucier de rien. Quinze jours plus tard, le 23 décembre, Jacques Chirac, requinqué, sort enfin de l'hôpital. La rumeur s'est dégonflée. Les réseaux sociaux ont fait tourner le vent vers d'autres cibles.

7

UN DESTIN CONTRARIÉ

La vie à deux est une tolérance, non une allégresse.

HENRI-FRÉDÉRIC AMIEL, *Journal intime* (1882)

Bernadette et Jacques, quel couple étrange. Deux êtres unis depuis soixante ans, pour le meilleur et pour le pire, embarqués dans un voyage au long cours, sur des mers agitées. Leur histoire est un enchevêtrement de sentiments mêlés, de rivalités, de frustrations, de complicité, de douleurs intimes, de petites humiliations qui vous frottent le cœur comme de la toile émeri et que l'on tait car on appartient à la bonne société et que cela ne se fait pas. Des larmes que Bernadette ravale lorsque «son Jacques» rentre au milieu de la nuit, prétextant je ne sais quel rendez-vous, fermant les yeux par amour ou par peur de le perdre. Elle aurait pu le quitter des dizaines de fois, elle ne l'a jamais fait. Parce que ce couple est une petite entreprise devenue en soixante ans une multinationale de la politique. Ici et là, ceux qui connaissent le couple le disent à voix basse : « Elle a trop souffert, alors elle se venge. » Ces derniers mois, des journaux accablent Bernadette Chirac sur sa supposée méchanceté à l'égard de son mari. Une presse indiscrète est même allée jusqu'à relater leurs querelles, comme cette scène prise sur le vif dans un restaurant parisien où les Chirac ont leurs habitudes : « Mettez votre serviette, lui ordonne-t-elle, vous allez saloper votre costume, j'en ai marre de payer le pressing. »

En guise de réponse, Jacques Chirac imite le cri du cochon... Comme un enfant provoquant sa mère. Les clients baissent la tête dans leur assiette, faisant mine de ne rien avoir vu ni entendu, gênés d'assister à cette scène. On croirait la revanche de celle qui a trop souffert et qui n'est jamais partie, attendant son heure. Depuis soixante ans, on se vouvoie chez les Chirac, ce qui n'enlève rien à la violence des mots. Que reste-t-il de leur couple ? Que reste-t-il d'un couple après soixante ans de vie commune ? Ils ne vivent plus véritablement ensemble, ils ne se lèvent pas à la même heure. Jacques Chirac rentre déjeuner vers douze heures trente presque chaque midi dans leur magnifique appartement du 5, quai Voltaire, un cinq pièces dont les cinq portes-fenêtres plongent sur les façades du Louvre. Un appartement mis gracieusement à leur disposition par la famille Hariri[1] depuis le départ des Chirac de l'Élysée en mai 2007. Le maître de maison au service de la famille

---

1. Les héritiers de Rafiq Hariri, ami personnel de Jacques Chirac, président du Conseil des ministres libanais (2000-2004). Il est assassiné à Beyrouth en 2005. L'un de ses fils, Saad Hariri, est actuellement le Premier ministre de la République libanaise.

depuis sept ans ne supporte plus leurs disputes, leurs chamailleries pour un oui ou pour un non. Des amies, des intimes interrogent Bernadette, essaient de sonder ses entrailles, pour essayer de comprendre par quel subtil mécanisme intérieur cette femme est restée si longtemps avec cet homme. Anne Kerchache, qui connaît le couple depuis très longtemps, a partagé tant de moments d'intimité en famille qu'elle se sent libre face à Bernadette : « Vous auriez pu partir, divorcer, mais vous ne l'avez pas fait parce que la vie que vous a offerte Jacques Chirac était unique, merveilleuse[1]. » Bernadette aurait donc préféré le confort à la liberté... Jacques Chirac rêvait de liberté, il n'aura que le confort.

Anne Kerchache se souvient d'un Jacques Chirac à rebrousse-poil de l'image qu'on lui connaît. En vacances, il apporte le petit déjeuner à son épouse avec une rose dans un vase. Il est comme ça, charmant, presque vieille France. À sa façon, il a respecté un code de bonne conduite à l'égard de Bernadette. Malgré ses conquêtes, son envie permanente de séduire, Jacques n'a jamais pu vivre sans elle, sans cesse à la réclamer pour un oui ou pour un non, à la joindre par téléphone en lui demandant simplement : « Où êtes-vous ? », « Que faites-vous ? », l'appelant six ou sept fois par jour, se souviennent ceux qui ont travaillé à ses côtés. Reprenant son masque d'enfant gâté, paniqué lorsque sa mère s'éloigne et qui soudain se rassure en entendant sa voix. « Vous êtes son point fixe », lui avait dit un jour le père de Bernadette, comme une prédiction qui se révélera juste.

---

1. Entretien de l'auteur avec Anne Kerchache, août 2016.

Sur la frise historique du couple Chirac, on trouve la période de la soumission de l'épouse prolongée par la période de la révolte, pour ne pas dire de «la vengeance». Bernadette a pris désormais le pouvoir, elle ne baisse plus la tête. Finies les rebuffades de son mari lorsqu'il régnait dans son palais avec sa fille Claude et qu'il prenait toute la lumière. Une période épouvantable: on la cache, on évite qu'elle ne se montre trop parce que son côté «vieille France» ne colle plus avec la nouvelle image que Jacques Chirac veut donner de lui. Claude et les communicants du Palais la trouvent ringarde. Aujourd'hui, c'est elle qui est invitée sur les plateaux de télévision, c'est elle qui parle à la place de son mari. À qui veut l'entendre, elle raconte que son époux est entre la vie et la mort. C'est elle, aujourd'hui, qui capte la lumière. Elle existe enfin après tant d'années d'exil, dans l'ombre de son mari affaibli, qui n'a plus d'armes pour se défendre.

À quel moment une femme n'accepte plus d'endurer l'inadmissible? En 2001, le président apprend que son épouse entend sortir un livre-confession avec son ami, le journaliste Patrick de Carolis. Panique à l'Élysée, son mari craint des passages compromettants qui pourraient lui nuire. «Chirac veut à tout prix savoir ce qu'il contient. Il est sur le point de monter une opération pour récupérer le manuscrit avant parution[1].» Car Bernadette parle beaucoup, griffe son mari dès qu'elle le peut, elle ne supporte pas qu'on la fasse disparaître du paysage. Finalement, le livre que les Français vont dévorer n'est pas aussi explosif que son mari le craignait. Les lecteurs découvrent une femme de soixante-neuf ans, beaucoup

---

1. Entretien de l'auteur avec Denis Tillinac, juillet 2016.

moins lisse qu'il n'y paraît, bien décidée à régler ses comptes, qui brise ses chaînes comme une femme du XXIᵉ siècle. Pour la première fois, Bernadette parle des frasques de son mari, elle n'a plus honte.

Bernadette Chirac a passé une partie de sa vie à tisser le manteau de la victoire de son chevalier. Avec ses manières de grande bourgeoise, elle fut une alliée politique de poids dans sa victoire de 1995, parce que le style Bernadette plaît beaucoup à un certain électorat de droite. Mais, avant le sacre, elle a dû beaucoup endurer. Parfois, la colère est si forte qu'elle fait ses valises, les pose sur le palier de ses appartements privés de l'Hôtel de Ville de Paris, prête à claquer la porte. Plusieurs fois, en effet, elle eut envie de quitter cet homme qui lui donnait si peu. Il faut alors toute la persuasion de ceux qui l'entourent pour la convaincre de ne pas commettre l'irréparable. «Le président ne lui parlait pas toujours très bien... Parfois, il était un peu brusque avec elle, agacé par son comportement, il la trouvait toujours trop lente. Quand cela arrivait, nous faisions semblant de ne pas avoir vu, on tournait la tête, parce que madame ensuite était insupportable avec nous[1]...»

Bien avant de devenir première dame, Bernadette la soumise se révolte, c'est contre sa nature et son éducation mais elle n'a pas le choix. En 1974, la tension dans le couple est à son paroxysme. Son mari vit une histoire sérieuse avec Jacqueline Chabridon, une journaliste du *Figaro* dont il est tombé amoureux. Va pour les incartades, pas question de céder sur cette histoire parallèle! Bernadette Chirac tape du poing sur la table, il en va de son honneur.

---

1. Selon un ancien collaborateur de Jacques Chirac qui souhaite garder l'anonymat.

Elle exige que son mari mette fin à cette relation, soutenue par les amis politiques de son mari qui considèrent que cette histoire de cœur est nuisible à sa carrière. Jacques Chirac est contraint de rompre. Et puis, à cette période, Bernadette ne supporte plus ses deux conseillers, Pierre Juillet et Marie-France Garaud, qui ont pris trop de place, qui décident de tout, jusqu'à lui dicter le fameux appel de Cochin, un texte antieuropéen que Jacques Chirac rédige dans sa chambre d'hôpital en 1978, alors qu'il se remet doucement d'un très grave accident de voiture qui l'a cloué sur une chaise roulante. «S'il ne les vire pas, je divorce[1]», confie-t-elle à son ami Béatrice de Andia. Son épouse est redevenue la lionne qu'elle fut à Sciences-Po, lorsque les filles s'approchaient trop près de son bel amoureux. Elle s'installe à Cochin et se transforme en véritable cerbère.

Vivre une vie de palais, sans jamais avoir à connaître les soucis de loyer et de fins de mois difficiles, oblige à des concessions, de très lourdes concessions. Bernadette a épousé un aventurier, il se rêvait Corto Maltese, Gengis Khan, officier de l'armée, les yeux vers l'est et les mains vers l'ouest, lui qui parlait de la gent féminine avec les accents rustiques d'un marchand de bestiaux du Limousin: «J'aime les femmes corréziennes parce qu'elles servent debout.» Cette phrase qu'il prononce alors qu'il est maire de Paris va faire couler beaucoup d'encre à l'époque, obligeant le service de communication de l'hôtel de ville de Paris à publier un communiqué, expliquant à quel point Jacques Chirac est attaché à l'égalité homme-femme.

La vérité, finalement très prosaïque, est que Jacques Chirac est un brin macho, il conserve intacts de vieux

1. Propos rapportés à l'auteur, août 2016.

réflexes du jeune matelot qu'il fut à dix-huit ans : « Nous les hommes, nous sommes les Cro-Magnon de la préhistoire, toujours à chasser et à courir la gueuse. Mais à la fin des fins, il nous faut retourner dans notre grotte. Moi, j'ai besoin de cette grotte pour me retrouver, sans elle je serais malheureux comme les pierres[1]. »

Bernadette a partagé la vie de cet homme fait de ce bois, une essence exotique et rare. Un homme qu'elle aimera tant bien que mal. D'abord soumise et discrète, elle va se révéler au contact de cet homme qu'elle a su apprivoiser. Jamais une larme, jamais un moment de faiblesse chez cette épouse dévouée, une femme d'un autre temps : « C'est une dame de l'Ancien Régime[2]. » Rien ne les destinait à parcourir cette route ensemble, tout les séparait, et pourtant... Contrairement à la légende écrite et répétée depuis des décennies, ce n'est pas lors de leur première année à Sciences-Po que les deux étudiants se rencontrent, mais de la seconde année, précise Béatrice de Andia : « Le premier jour de la rentrée de Sciences-Po, Jacques est venu s'asseoir à côté de moi. Nous sommes rapidement devenus amis. Mais c'est en seconde année que Bernadette a rejoint notre groupe de filles, pour mieux approcher celui dont elle était tombée secrètement amoureuse[3]. »

Ce groupe de filles est composé de Béatrice de Andia, Laurence Seydoux et Marie-Thérèse de Mitry, une petite bande de joyeuses copines, des jeunes filles parisiennes bien nées qui observent d'un air amusé ce garçon qui n'est visiblement pas de leur monde : « Il ne savait pas trop s'y

---

1. Citation extraite de *La Tragédie du président, op. cit.*
2. Entretien de l'auteur avec Béatrice de Andia, juillet 2016.
3. *Ibid.*

prendre avec les filles, il n'avait pas les codes. Alors il en faisait presque trop, plus que les garçons de notre milieu[1]. » Jacques Chirac est agréable, prévenant mais réservé, il parle peu et écoute beaucoup parce qu'il doit apprendre à vivre dans cet univers dont il se sent si éloigné.

Il est un peu comme un lynx que l'on aurait enfermé avec des chats angora. À qui peut-il raconter ses aventures de matelot entouré de marins qui ont fait le tour du monde, la casbah d'Alger, la promiscuité des couchettes, les soirées à boire et à chanter en attendant son tour de «quart» où se mêlent les odeurs de sueur, de tabac et de gasoil... Une vie de mecs qui n'ont peur de rien. On imagine le choc lorsque Jacques Chirac s'assoit pour la première fois sur les bancs de Sciences-Po. Il n'a pas le même bagage en poche, le même parcours ni la même expérience de la vie que ceux qu'ils croisent ce jour-là.

Béatrice de Andia, descendante directe de Talleyrand, est assise dans la grande salle à manger de son château de la Châtonnière en Touraine, sous le regard de ses ancêtres accrochés aux vastes murs en tuffeau. Elle sourit quand elle parle de Jacques Chirac, parce qu'elle a bien vu que ce garçon n'était pas comme les autres, qu'il venait d'ailleurs, en tout cas pas de son monde. Elle se souvient de cette escapade potache à Kitzbühel, en Autriche. Une station huppée blottie dans le massif tyrolien. Nous sommes dans les années 1950 et le TGV n'existe pas.

Cette petite bande de la «haute» prend le train de nuit et roule de longues heures. Les jeunes étudiants français enchaînent les blagues pour faire passer le temps. Jacques Chirac s'amuse même à déplier un préservatif devant les

---

1. *Ibid.*

yeux interloqués de ses copines qui n'en ont jamais vu en vrai et qui ne savent pas trop à quoi sert ce morceau de caoutchouc transparent. Arrivé dans la station, le groupe chausse les skis et dévale les pentes de cette station réputée pour son domaine skiable : « Jacques n'a pas skié, il a prétexté une douleur à la cheville. Il s'est contenté de faire quelques marches, mais le reste de son temps, il l'occupait à lire[1]. » Elle garde dans ses archives une photo où l'on découvre le jeune Chirac au milieu d'une bande de filles en fleur, il porte un gros pull-over de montagne, un pantalon court et de grandes chaussettes en laine... Il sourit et domine le groupe par sa taille et son charme. Le garçon a fière allure !

En seconde année donc, Jacques et Bernadette « sortent ensemble », comme on dit... Déjà, elle est une jeune femme dévouée au service de celui qu'elle admire pour son physique et pour sa personnalité, si différent des autres garçons. « Jacques comptait sur elle, il en avait besoin[2]. » De là à penser qu'il s'en est servi... Bernadette est une jeune fille de bonne famille, un peu timide, à l'éducation cadenassée. Elle représente une proie facile pour cet animal sauvage. Elle s'appelle Bernadette Chodron de Courcel. Elle porte sur ses frêles épaules une lignée de très vieille noblesse, dont les ancêtres du côté de sa mère ont pris part aux croisades du Xe siècle. Son père, Jean de Courcel, dirige la manufacture de Gien et de Briare qui appartient à la famille depuis le XIXe siècle. Dans l'arbre généalogique de Bernadette, on trouve des ambassadeurs, un ministre plénipotentiaire à Constantinople. Parmi les célébrités de la

---

1. *Ibid.*
2. *Ibid.*

famille, Bernadette a un grand-oncle, Charles de Lasteyrie, qui fut ministre des Finances de Raymond Poincaré, mais le personnage le plus marquant pour Jacques Chirac, comme il le révèle dans ses mémoires, fut Geoffroy de Courcel, le tout premier compagnon du général de Gaulle, son aide de camp à Londres.

Entre les deux étudiants, c'est le choc des cultures, de quoi déplaire à la famille de Bernadette, qui voit d'un mauvais œil cette liaison contre nature avec ce roturier, fiché par les Renseignements généraux comme communiste. Un sacrilège!

Lors de sa première année de Sciences-Po, Jacques Chirac, âgé de dix-huit ans, signe l'appel de Stockholm, une pétition d'inspiration communiste pour dénoncer la prolifération des armes nucléaires dans le monde, lancée le 18 mars 1950 par Frédéric Joliot-Curie. Le Corrézien se sent une âme de gauche, on l'aperçoit distribuer *L'Huma dimanche* sur les marchés. Il se lie d'amitié avec Michel Rocard, qui lui propose d'adhérer à la SFIO. « Ce Chirac était un jovial, un gars généreux, pas trop compliqué. Il aimait s'amuser. J'avais essayé de lui fourguer la carte des étudiants socialistes SFIO. C'était vraiment un bon copain. Je me souviens surtout qu'il me bluffait par son aisance et ses manières. J'étais éberlué par son audace auprès des filles[1]. » Audace toute relative si l'on en croit les souvenirs de Béatrice de Andia. L'étudiant Chirac décline la proposition de son ami Rocard, fidèle à lui-même : n'être prisonnier de personne. Michel Rocard, le théoricien de Sciences-Po qu'il va croiser beaucoup plus tard sur

---

1. *Si la gauche savait*, livre d'entretien de Georges-Marc Benamou avec Michel Rocard, Robert Laffont, 2010.

le perron de Matignon, lors de la passation de pouvoir, le 10 mai 1988. Son copain socialiste devient Premier ministre, Jacques Chirac vient d'essuyer sa plus cuisante défaite face à François Mitterrand. Les deux hommes partagent la même détestation de François Mitterrand.

À la mort de son vieil ami Rocard, le 2 juillet 2016, le président, fait rare depuis plusieurs mois, envoie un communiqué à l'AFP pour lui rendre hommage. L'a-t-il réellement écrit ? « La France perd un homme d'État qui unissait, de manière rare, le goût des concepts et la capacité d'action et de réalisation. » Ce ne sont pas les mots de Jacques Chirac, mais qu'importe, c'est le symbole qui compte, et puis, pour Claude et son entourage, il faut sans cesse apporter la preuve que le patriarche est toujours bien vivant, l'esprit clair. La réalité est tout autre.

À vingt ans, Jacques Chirac est l'archétype du rebelle, un brin contestataire, un peu provocateur, contre une droite conformiste, qui n'offre aucune issue à ses rêves de voyage, à ses envies de découvrir le monde, une manière peut-être de tenir tête à son père en le contestant sur le terrain politique. À cette époque, pour l'étudiant Chirac, la politique n'est encore qu'une matière scolaire qui fait partie du cursus obligatoire, sa route n'est pas encore tracée parce que ce qui le brûle, ce sont les grands espaces, la vie au grand air : « Jacques, c'était un "dégustateur", il a été quelque temps socialo-communiste parce qu'il voulait goûter aux différentes formules que lui offrait la société de l'époque. C'était un garçon qui cherchait, il voulait comprendre le monde... Il avait une grande soif de savoir[1]. »

---

1. Entretien de l'auteur avec Béatrice de Andia, juillet 2016.

À Sciences-Po, l'aventure se fait rare. Seule petite récréation, des visites pédagogiques où les étudiants peuvent faire un tour de France des industries et des nouvelles technologies. Un jour au Havre pour comprendre comment fonctionne une usine hydraulique, un autre dans le Rhône pour découvrir les secrets d'une usine hydro-électrique ou dans l'Est pour visiter des mines de charbon. Sur la photo que nous dévoile Béatrice de Andia, Jacques Chirac est habillé en mineur, casque en fer, veste en toile, équipé de sa lampe à huile, le sourire au coin des lèvres : « Il m'a fait descendre à mille mètres sous terre, dans une mine de charbon, j'étais la seule fille à vouloir descendre. Ce qui l'amusait beaucoup, c'était de passer la frontière entre la France et l'Allemagne, à mille mètres sous terre, dans une chaleur épouvantable[1]. »

Bernadette et les autres étudiants sont restés en surface... Cette petite scène est en quelque sorte une parabole de l'histoire de leur couple : lui toujours ailleurs, en mouvement perpétuel, jouant avec la vie, elle, immobile comme « une tortue », attendant le retour de celui qu'elle a choisi contre vents et marées.

Jacques Chirac est-il amoureux de Bernadette ? Sûrement... mais à sa manière, selon ses propres règles. Pour essayer de comprendre les ressorts intimes de ce couple en formation, il faut revenir aux premières heures d'une rencontre, là où tout se noue, se cristallise : « Pour Jacques, c'est un choix pensé, Bernadette, elle, est follement

---

1. *Ibid.*

amoureuse de lui. Dès cette époque, c'est une lionne, elle ne laisse personne approcher celui qu'elle aime[1].»

Quelle est la part de cynisme, de calcul, dans cette relation naissante? Il y a confusément du Rastignac[2] chez Jacques Chirac, qui trouve dans la famille Chodron de Courcel le sésame qui va lui permettre de grimper rapidement toutes les marches du grand escalier de la réussite sociale. Un choix pragmatique, opportuniste, diront certains. Mais que connaît réellement sa belle-famille de son futur gendre? Sinon sa belle enveloppe de jeune premier fringant, dont leur fille vient de tomber éperdument amoureuse.

Bernadette aime cet homme pour ce qu'il a d'insoumis mais elle doit aussi en accepter les conséquences et en payer le prix fort. Le jeune Chirac aime les femmes, la liberté et ses désirs sont plus forts que tout. Bernadette le sait dès leur première rencontre. On ne connaît pas la liste de toutes ses conquêtes mais elles furent nombreuses, certaines médiatisées, mais par convenance, par calcul aussi, elle a fermé les yeux pour préserver les apparences, pour ne pas embarrasser la carrière de son mari et la sienne par ricochet. Son époux est un vrai courant d'air, vif et rapide, affamé de nouveaux paysages, de sensations fortes, tout le contraire du bourgeois casanier, campé sur ses principes, prisonnier de sa condition. Il fait découvrir à sa future épouse un autre monde, lui ouvre de nouvelles perspectives, des choses qui lui étaient impossibles de

---

1. *Ibid.*
2. Eugène de Rastignac est un personnage de *La Comédie humaine* d'Honoré de Balzac. C'est un jeune homme ambitieux prêt à tout pour s'introduire dans la bonne société de l'époque. Aujourd'hui, il serait qualifié d'arriviste.

connaître, elle qui n'avait appris que les bonnes manières et les soirées guindées entre jeunes filles convenables.

Et si finalement, à travers cette rencontre, chacun avait brisé ses chaînes en allant puiser chez l'autre ce qui lui manquait pour se construire. Ils vont former un duo qui a traversé la Cinquième République, porté ensemble des secrets inavouables, partagé des douleurs intimes, parcouru le monde et les palais, affublés du masque des régnants. Mais, au fond de lui, Jacques Chirac est resté le même, un insurgé, un provocateur doté d'une bonne dose de fatalisme qui lui faisait tout oser, comme si la vie était un jeu, comme si tout était écrit d'avance par une main invisible et qu'il fallait se laisser porter. Finalement, il a juste appris à s'accommoder de sa nouvelle vie, de ses codes et de ses usages, un vernis utile quand on court après le pouvoir. Il s'amuse à jouer le grand bourgeois, répétant à l'envi cette expression pédante : « Ce n'est pas convenable », une formule, comme un paravent, servant à protéger ses intimes convictions, sa vie intérieure si tumultueuse et complexe.

Après son opération des poumons, Laurence, convalescente, est rentrée chez elle, dans son petit appartement du 15e arrondissement. La vie a repris son cours en cette fin d'année 2015. La routine.

Le président continue de venir à son bureau de la rue de Lille, mais en pointillés. Parce que ses jambes ne le portent plus, parce qu'il geint chaque soir lorsque ses gardes du corps et son chauffeur le sortent de son fauteuil roulant pour l'asseoir dans la voiture. Chaque soir, c'est un calvaire. Daniel n'est jamais bien loin et assiste à cette scène douloureuse. Le président est diminué. Le couple a dû quitter l'appartement du quai Voltaire, parce que la chaise roulante ne passait pas dans l'ascenseur. Les Chirac s'installent rue de Tournon dans l'hôtel particulier des Pinault, leurs vieux amis. Jacques Chirac vit au rez-de-chaussée. Sa chambre donne sur une terrasse ombragée sur laquelle on a posé un transat pour que le président puisse profiter des quelques rayons de soleil, ceux qui réussissent à se faufiler entre les immeubles cossus qui entourent la place Saint-Sulpice. Six auxiliaires de vie s'occupent du président jour et nuit. Ils sont sa récréation et ses rayons de soleil.

C'est comme une maison de retraite qui ne dit pas son nom. Hormis le château de Bity, le couple n'aura jamais été propriétaire. Très jeune, c'est vrai, la famille Chirac fut logée aux frais de la République. Mais cela suffit-il à expliquer ce choix ? Jamais Jacques Chirac n'a eu envie d'installer sa famille dans un espace que Bernadette et lui auraient choisi, pour lequel ils auraient eu un coup de cœur, pour y poser leurs meubles et leurs œuvres d'art, pour avoir un «chez-eux».

Jacques Chirac aura donc été un locataire toute sa vie, un homme de passage, qui ne s'est jamais vraiment attaché aux aspects matériels de l'existence. Des billets sont passés entre ses mains, mais l'argent n'était pas son luxe, juste un outil dont il s'est servi. Sa seule gourmandise : des voyages au bout du monde. Son péché mignon : les œuvres d'art pour lesquelles il se pâme, capable de casser sa tirelire pour acquérir un bronze chinois ou une sculpture africaine. Le reste l'intéresse peu. Il n'a donc pas investi dans la pierre, comme l'ont fait et le font beaucoup d'hommes politiques. Par pingrerie ? Il est l'inverse de François Mitterrand qui n'avait jamais un centime dans sa poche, Jacques Chirac est généreux, dit-on, mais il ne pense pas l'avenir comme un être humain normal. C'est un nomade dans l'âme, il a bâti sa vie sur du vent. Il ne s'est pas projeté, a vécu l'instant, l'a consumé, comme les innombrables cigarettes qu'il a fumées à la hâte. Quand l'envie le prenait, il s'enfuyait à des milliers d'années avant notre ère, pour admirer un artiste chinois ou contempler la reproduction d'un crâne néandertalien, peut-être le seul moment où il se sentait en paix avec lui-même.

8

LES FEMMES COMME EXUTOIRE

Don Juan, dès l'adolescence, a pris conscience de ses dons et de ses pouvoirs. Depuis, il a volé de conquête en conquête, sans jamais s'attarder, parfois avec d'étonnantes fidélités. Qu'est-ce qu'elles lui trouvent? Elles aiment son audace, sa désinvolture, son intelligence, sa liberté. Sans doute devinent-elles que cet homme, que l'on dit léger, est un être grave: que cherche-t-il? que fuit-il? Il est Don Juan, réincarnation du mythe et homme d'aujourd'hui, héros fragile dans un monde incertain.

DENIS TILLINAC, *Don Juan* (Robert Laffont, 1998)

Un rai de lumière vient irradier une photographie posée sur la cheminée du bureau du président. Une petite photo en noir et blanc sertie d'un cadre argenté, gris pâle. Côte à côte, Jacques Chirac et Simone Veil, la seule femme à avoir rejoint son panthéon, dans son bureau-musée. Il lui a toujours voué une indéfectible admiration, ce qui d'ailleurs transparaît sur ce cliché. Pendant la campagne de 1995, elle a rejoint le camp des balladuriens et n'a pas toujours eu des mots aimables à son endroit. Qu'importe... Il lui a pardonné. Pourquoi cette photo et pas une autre, piochée parmi les milliers d'images qui ont été faites de lui ? Jacques Chirac doit être Premier ministre, il a les cheveux gominés et dévoile son profil carnassier. Simone Veil doit être ministre de la Santé. Ils sont tous les deux très beaux, en pleine force de l'âge. Le cadrage confère une disproportion aux personnages. Jacques Chirac semble se redresser vers elle, la dominant physiquement, alors que Simone Veil, le chignon impeccable, au contraire, donne l'impression de se replier sur elle-même, comme écrasée par l'instant.

Cette photo a été prise dans les salons de Matignon, on y reconnaît les portes-fenêtres entrebâillées qui ouvrent sur une pelouse taillée au cordeau. Nous sommes en 1975, l'année où la ministre de la Santé, avec le soutien appuyé de son Premier ministre, réussit à faire passer la première loi sur l'IVG. Dans la nuit du 28 au 29 novembre 1974, vers trois heures du matin, le Premier ministre est venu dans l'hémicycle dépeuplé pour faire basculer une partie de sa majorité en faveur de la loi sur l'avortement. Une révolution. Sur cette photo, Jacques Chirac se penche vers elle et semble lui dire avec une pointe de fierté : « Nous avons gagné, ma Poussinette. »

« Poussinette », c'est le surnom qu'il lui avait donné, à celle qui allait changer la destinée de millions de femmes. Simone Veil, une femme qu'il admire pour son caractère, sa douceur et son courage. Une femme revenue de l'enfer. Elle fut l'une des rares rescapés du camp d'Auschwitz-Birkenau. Sur le cliché, on dirait que Jacques Chirac veille sur elle comme un grand frère, parce que Simone Veil ne fait pas partie de celles qu'il a voulu posséder. Elle est comme une icône nimbée d'une pureté ressourçante.

Les «autres», toutes les autres, ne sont qu'une longue liste de corps, de mains, de jupes retroussées, de moments volés à l'agenda, d'étreintes consommées à la va-vite comme on dévore un sandwich avant une réunion. On le baptise «cinq minutes douche comprise», parfois trois, parfois dix, l'expression est presque entrée dans le langage courant. «Lorsqu'il avait un rendez-vous avec une femme, c'était à la minute près. Nous le déposions, il nous donnait un horaire en sortant de la voiture et il revenait à l'horaire exact, il ne fallait surtout pas être en retard[1].» Des femmes qu'il chevauche, sans plus de préliminaires, parce que le temps presse, parce que la quantité a pris l'ascendant sur la qualité. «Je me souviens d'un voyage à La Réunion, au début de son septennat. Une femme l'aborde et lui demande une dédicace sur l'un de ses livres qu'elle tient à la main. Le président s'approche et lui dit, avec un culot incroyable: "Montez dans ma chambre si vous voulez?" Et la femme de suivre Jacques Chirac, tout sourire[2].» Les anecdotes se succèdent, les témoignages plus ou moins vrais le voient courir, à l'heure du laitier, dans un couloir sombre d'un immeuble du quartier Montparnasse pour rejoindre une femme qui le guette derrière la porte. Un

---

1. Entretien de l'auteur avec Jean-Claude Lhomond, avril 2016.
2. Entretien de l'auteur avec une personne qui souhaite rester anonyme, août 2016.

autre jour, on l'aperçoit rue de la Convention dans les bras d'une autre, à qui il rend visite chaque semaine. Il utilise aussi régulièrement une garçonnière dans l'immeuble du 241, boulevard Saint-Germain (dont le premier étage abrite le siège départemental du RPR) pour satisfaire ses plaisirs avec une collaboratrice du RPR ou une jeune ambitieuse qui cherche la chaleur fugace du pouvoir.

Il y a les régulières, les coups de cœur, les « amuse-bouche » qui réussissent à franchir les cordons de sécurité pour approcher le président, d'autres qui partagent le même avion que le président et qui attendent, nues, dans son espace privé, brûlantes de désir. Elles sont députées, ministres, conseillères, bourgeoises provinciales, des inconnues qu'on lui apporte sur un plateau, et puis il y a celles avec qui il aura une histoire parallèle, tout cela vécu simultanément, réclamant de grandes qualités d'organisation. « Il a une sorte de charisme, de magnétisme qui se dégage de lui, auquel personne ne résiste, quand il est quelque part on le voit, on le sent[1]... »

La nuit où la princesse Diana trouve la mort dans un terrible accident de la circulation sous le pont de l'Alma, le président de la République est introuvable. Nous sommes le 31 août 1997. Toute la République est debout. En désespoir de cause, Jean-Pierre Chevènement, le ministre de l'Intérieur, tente un appel à Bernadette Chirac qui, désappointée, lui répond qu'elle ne sait pas où est son mari. Ce soir-là, on le dit dans les bras d'une autre femme. Jean-Claude Lhomond, son inséparable chauffeur, est réveillé alors qu'il dort dans sa voiture au pied de l'immeuble où se trouve

---

1. Entretien de l'auteur avec Christian Deydier, mars 2015.

le président. «Les femmes, ça valsait[1]», avoue Bernadette dans son livre paru en 2001. Elle savait tout mais fermait les yeux, parce qu'elle était persuadée que son mari volage ne partirait pas, qu'ils étaient liés tous les deux, à la vie à la mort.

Mais les histoires de «jambes en l'air» de Jacques Chirac se réduisent-elles à une sorte de folklore républicain? Seraient-elles juste un petit supplément d'âme dans la panoplie d'un président digne de ce nom? Pas sûr… Le pouvoir facilite le succès. Évident. Et les femmes, l'histoire en témoigne, aiment souvent le pouvoir et la compagnie de ceux qui le possèdent. Ensuite, le jeu est facile, les présidents n'ont plus qu'à se baisser pour cueillir ces jolies fleurs, ouvertes et languissantes, qui attendent sur le bord de leur chemin. C'est surtout vrai de Valéry Giscard d'Estaing, qui avait un faible pour les actrices. En 2009, à quatre-vingts ans, l'académicien, toujours très vert, raconte dans un roman, *La Princesse et le Président*, une histoire d'amour passionnelle, au milieu des années 1980, entre un président de la République, Jacques-Henri Lambertye, et une princesse britannique fort jolie, très médiatique et malheureuse en ménage. La ressemblance avec la princesse Diana est évidente. De quoi faire saliver les médias qui cherchent à savoir si Valéry Giscard d'Estaing a bien eu une liaison avec la princesse. «C'est un roman», se défend-il, agacé, lorsqu'on l'interroge sur le sujet.

Et puis il y a eu François Mitterrand, qui inventa la polygamie présidentielle et qui la fit accepter doucement aux Français. Plutôt classé parmi les collectionneurs, lui aussi aimait les femmes: «Il ne concevait pas un congrès ou

---

1. *Conversation*, de Bernadette Chirac avec Patrick de Carolis, Plon, 2001.

une réunion politique sans partir à la fin avec une fille. Il pouvait fréquemment jouer sur plusieurs tableaux, faisant attendre plusieurs femmes un même soir afin de pouvoir faire son choix jusqu'à la dernière minute[1]. » François Mitterrand était un gourmand, il picorait, savourait... il avait ce sourire énigmatique, « mi-vampire, mi-séducteur[2] ». Il aimait surtout prendre son temps pour choisir, fantasmer sur sa nouvelle conquête, le genre d'homme à intellectualiser son coït, Machiavel jusque dans la chambre à coucher.

Chez Jacques Chirac, c'est différent. Il ne pense qu'au plaisir. Un plaisir facile auquel on accède sans faire de gros efforts. Un plaisir comme un caprice d'enfant gâté qui trépigne devant une vitrine de jouets et qui le casse aussitôt déballé. Un plaisir immédiat, souvent de courte durée, qui se résume finalement à une décharge d'énergie fugace, un défouloir qui lui permet d'évacuer ses angoisses. « Chez lui, c'est de la consommation, une sorte de boulimie, rien de plus[3]... » Boulimie, ce mot, on l'utilise d'abord pour décrire un trouble du comportement alimentaire caractérisé par un besoin incontrôlable d'absorber de la nourriture. Chez Jacques Chirac, les femmes seraient une nourriture charnelle colmatant son vide existentiel.

Aussi paradoxal que cela puisse paraître, et ce malgré la place que ces femmes ont occupée dans son emploi du temps, c'est le sujet dont il a le moins parlé. La porte se ferme à chaque fois que ses interlocuteurs veulent l'interroger sur le sujet. À Pierre Péan, il avoue avoir aimé beaucoup de femmes « aussi discrètement que possible ».

---

1. *Sexus Politicus*, de Christophe Deloire et Christophe Dubois, Albin Michel, 2006.
2. Extrait d'un article du *Monde*, janvier 1994.
3. Entretien de l'auteur avec Jacques Toubon, février 2016.

Dans ses mémoires, il évacue le sujet d'une phrase car il relève du domaine de la vie privée, compliqué lorsqu'on est un personnage public. Chez lui, les femmes sont cachées dans une maison secrète, cadenassée à double tour, dont lui seul détient les clés. Jamais une fanfaronnade publique, aucune vanité à séduire autant et aussi facilement. Car ces femmes ne sont pas uniquement associées au plaisir, elles hantent sa vie, le dévorent, le submergent, comme une drogue que le corps réclame et qui a pris le contrôle de son âme.

Mitterrand intellectualisait la rencontre, se mettait à distance pour apprécier la difficulté. Chez Chirac, c'est l'inverse, il est immédiatement dans le corps à corps, il vous touche, vous dévore avec ses *mains*, vous avale en douceur. Jacques Chirac est d'abord un physique, une présence, quelque chose d'animal, de magnétique, «il est comme un volcan doté d'une puissance tellurique. Il est le seul homme qui me fasse fondre», disait de lui Brigitte Bardot dans les années 1990. Avec sa manière un peu canaille de tenir sa cigarette au coin de la bouche, une gueule d'acteur à laquelle il est si difficile de résister. Voilà pour l'enveloppe extérieure. Jacques Chirac est aussi une incroyable énergie, une capacité physique hors du commun, il a, pourrait-on dire, comme des impératifs biologiques permanents largement au-dessus de la moyenne. Il mange comme il fait l'amour, sur le pouce, à n'importe quelle heure, n'importe quel plat, n'importe où... Comme un ogre qui n'est jamais rassasié. Mais que cherche-t-il au juste dans cette boulimie de corps et de sexe? Que nous raconte ce besoin permanent de séduire et de croquer dans le fruit défendu?

Pour comprendre son rapport aux femmes si particulier, pour ne pas dire unique, chez un chef d'État, il

PRÉSIDENT, LA NUIT VIENT DE TOMBER »

faut dépasser les simples anecdotes croustillantes qui font le bonheur des journaux people et partir à la rencontre des mythes, celui de Don Juan. Cet homme fantasmé qui accumule les femmes comme on entasse des pièces d'or dans un coffre et qui, à travers elles, panse ses blessures intimes. En ombre chinoise se dessine le profil de Jacques Chirac, comme un calque presque parfait. Mais Don Juan aimait-il les femmes ?

Il y a quelque chose de déviant dans cette manière de « consommer », parce que Don Juan et les séducteurs de son profil souffrent secrètement d'une terrible blessure enfouie : un complexe d'infériorité qui les oblige sans cesse à se rassurer, car c'est un mal qui ne se soigne pas. Tous ses proches en attestent, il était terriblement angoissé et avait une image dévalorisée de lui-même, « un mec pas sûr de lui » pour le dire d'une manière triviale. Toujours à minimiser, toujours à vanter l'intelligence de l'un ou de l'autre.

En décembre 1995, six mois après son accession au pouvoir, une grève sans précédent paralyse le pays, du jamais-vu depuis 1968. Le 15 novembre 1995, Alain Juppé annonce un plan de réforme des retraites ayant pour but d'aligner les durées de cotisations entre public et privé. Un plan qui fait l'effet d'une bombe. Les Français sont en colère, descendent dans la rue et bloquent le pays pendant six semaines. Pendant cette crise, ils attendent que le président sorte de son silence, ses conseillers, ses amis l'interrogent, le pressent sur la décision à prendre pour sortir de la crise : que faut-il faire ? « Je ne m'inquiète pas, Juppé est tellement plus intelligent que moi, il va savoir trouver une solution[1]. » Une anecdote bien sûr,

---

1. Propos rapportés par Denis Tillinac à l'auteur, août 2016.

une simple photographie d'un instant, mais qui en dit tellement sur lui.

Jacques Chirac et Don Juan sont des êtres fragiles. Ils ne se sentent exister que dans les yeux des femmes qu'ils possèdent. Dans leurs bras, dans l'étreinte, ils retrouvent confiance en eux. Cinq minutes de bonheur, pas beaucoup plus, et puis il faut repartir. Une quête insatiable, un champ immense avec chaque fois de nouvelles formes, de nouvelles tentations, des désirs renouvelés à l'infini. Les femmes sont à la fois un objet de fascination et de perdition. Mais la comparaison avec Don Juan s'arrête là.

Don Juan était nihiliste, il n'aimait pas les gens, et d'une certaine manière possédait les femmes pour les punir du pouvoir qu'elles exerçaient sur lui. Chez Jacques Chirac c'est différent et peut-être plus subtil, il les possède pour fuir, pour assouvir sa soif de liberté, pour se faire croire qu'il est capable de vivre sa vie sans entraves, qu'il est un homme libre.

Serait-il alors un Casanova, autre personnage mythique ? Quand Don Juan abandonne celles qu'il a soumises et qui vont le haïr pour la vie, celles qui succombent au charme de Casanova continuent à l'aimer toujours, malgré la rupture, malgré la douleur. Il expérimente le don de soi, l'envie de donner du plaisir à sa partenaire. Il veut qu'on l'aime. Est-ce le cas de Jacques Chirac ? Probablement. Il a passé sa vie entière à expérimenter cette forme d'amour déviant. Grâce à toutes ces femmes, chez qui il est allé puiser l'énergie pour trouver la force de se battre – à leur insu –, il devient un héros transgressif. À travers elles, à travers cette jouissance compulsive, il défie la société, enfreignant ses règles qui le corsètent et qu'il refuse au fond de lui. En langage chrétien, Jacques Chirac est un infidèle. Mais ce mot a-t-il un sens pour cet homme qui se sent tellement loin de cette Église catholique et de cette spiritualité, qui ne l'ont probablement jamais vraiment intéressé. Sa morale est ailleurs, Jacques Chirac a rédigé ses propres lois du mariage, venues d'Afrique, inspirées par le bouddhisme, une religion qui n'invoque aucun créateur suprême, aucune divinité. Une religion qui ne blâme pas.

Parmi toutes celles et tous ceux qui ont accepté de parler de Jacques Chirac, aucun ne porte un jugement de valeur sur son attitude. Tout semble normal, accepté, presque comme une évidence lorsqu'il parle de ce besoin, dont ils furent témoins passifs, de séduire la jolie femme qui vient de passer près de lui. « Il n'y avait chez lui aucune brutalité, tout était fait avec beaucoup d'élégance. J'admirais la façon avec laquelle il essayait de vous séduire, c'était de la belle ouvrage[1] », se souvient une ministre.

Les femmes, celles qui l'ont connu, celles qui ont travaillé à ses côtés, celles à qui l'on prête une liaison avec lui, celles qui furent abandonnées en rase campagne au gré d'un remaniement ou d'une simple décision politique de Jacques Chirac, n'émettent sur lui aucune critique, aucun jugement. Elles continuent à l'admirer et à en parler avec des étoiles dans les yeux... Elles ont pourtant terriblement souffert intérieurement mais son charisme semble plus fort que tout : « Je les rate toutes, seulement elles ne le disent pas, ou si elles le disent, les autres ne les croient pas, ou, tout de même, veulent voir[2]. » Autres temps, autres mœurs. À l'ère des réseaux sociaux, « le Chirac Casanova »

---

1. Entretien de l'auteur avec une ancienne ministre de Jacques Chirac qui souhaite rester anonyme, avril 2016.
2. Extrait de *Gilles*, de Pierre Drieu la Rochelle, Gallimard, 1939.

n'aurait peut-être pas joué avec les femmes comme il l'a fait pendant des décennies. Peut-être...

Et si, pour comprendre les ressorts intimes de son marivaudage extrême, il fallait chercher encore plus loin, au-delà de cette sentence d'Henry Kissinger, l'ancien secrétaire d'État du président américain Richard Nixon, qui considère que «le pouvoir est l'aphrodisiaque suprême». En un mot, pour être capable de diriger un pays, il faut être un homme viril et puissant, sur tous les plans. Et s'il fallait de nouveau revenir à son huis clos familial en empruntant le chemin de la psychanalyse? Nous l'avons dit, l'enfant Chirac est un être coincé entre Marie-Louise, une mère étouffante, et François, ce père, si peu aimant, sans oublier cette sœur, Jacqueline, qui plane comme une malédiction au-dessus de sa tête.

Pour espérer percer le mystère Chirac, auscultons attentivement ce triptyque familial auquel Jacques Chirac cherche, dès sa plus tendre enfance, à se soustraire... Fuir dans la campagne, s'estourbir de courses folles dans la nature corrézienne, chercher l'harmonie ailleurs, fuir le plus loin possible. Les femmes furent les instruments de sa fuite...

Jacques Chirac, sans en avoir la pleine conscience, souffre de ne pas pouvoir croire à sa propre existence, un homme sans ego, toujours à se rapetisser. Il doute en permanence, alors il cherche dans un «ailleurs» les réponses à tous ses tourments, une quête sans fin. Il est une fuite permanente, pour ne pas avoir à affronter la réalité, ce quotidien qui le barbe, ces militants qui l'épuisent, les contraintes familiales, la vie ordinaire. Aussi surprenant que cela puisse paraître, la politique politicienne l'ennuie et ne le nourrit pas intérieurement: «Il était parfois agacé par ces militants excités qui l'interpellaient comme des supporters de football surchauffés[1].»

«Je file», c'était son expression lorsqu'il voulait dire à Bernadette qu'il partait une fois de plus. Où? Elle ne le savait pas. Bernadette, qui connaît son mari mieux que quiconque, est restée, observant son manège devenu une manie.

Tout jeune, le petit Jacky a un mal fou avec l'autorité, avec les règles strictes que lui impose son père. En endossant le rôle du «révolté», tendance «anar», provocateur, toujours à jouer avec les codes, à se moquer des conventions, il parle à son père par contumace, continue sans le savoir à lui tenir tête, à le défier à distance. Il boude les pince-fesses germanopratins et les dîners mondains, il aime faire semblant de dormir pendant un spectacle, s'amusant à ne rien faire comme les autres, pour faire croire qu'il est le maître de son destin, que personne ne peut l'attraper.

Mais que cherche-t-il, au juste, dans cette quête sexuelle? Prendre une revanche sur son père? Le «tuer» sur son propre terrain, car François Chirac est un homme volage, très volage, qui régulièrement délaisse sa femme pour vivre ses aventures. Ou alors fuit-il sa mère et son image envahissante? Prisonnier de ce huis clos familial, Jacques Chirac est devenu, sans en être vraiment conscient, l'esclave de lui-même, écartelé entre plusieurs personnages qu'il fait cohabiter tant bien que mal et avec lesquels il a composé toute sa vie...

Pendant des décennies, Bernadette a donc accepté de partager la vie de ce «séducteur-né» en serrant les dents,

---

1. Entretien de l'auteur avec Denis Tillinac, août 2016.

en faisant semblant de ne pas voir, parce que dans son milieu on ne divorce pas, on se tait.

Voici donc l'une des facettes du cristal Chirac, probablement l'une des plus intenses et des plus intimes, celle qu'il s'efforça toute sa vie de dissimuler, comme on cache une blessure.

Jacques Chirac, enchaîné à ses désirs irrépressibles, est donc un être multiple, déchiré par des conflits intérieurs. Et si cette manière d'être expliquait sa façon de gouverner, venant justifier les reproches qui lui ont souvent été faits d'avoir finalement pris plus de plaisir à conquérir le pouvoir qu'à l'exercer, donnant de lui l'image d'un président sans cap, confortablement assis dans le fauteuil cossu du pouvoir, sans prendre la peine de s'en extraire, sauf en de très rares occasions.

Jacques Chirac ne tranche pas, déteste s'occuper des basses besognes, qu'il confie à ses proches, dont Jean-Louis Debré, et Dieu sait que la politique en charrie: «Il ne fallait surtout jamais rien lui demander. C'est lui qui choisissait, sauf quand il fallait annoncer à un ministre qu'il n'était pas reconduit à son poste. "Tu le feras très bien", me disait-il[1].» En 1986, Jean-Louis Debré aimerait bien entrer au gouvernement mais le président n'a pas le courage de lui dire en face qu'il n'en fera pas partie, pour ne pas le blesser: «Je sais que c'est non, je le vois dans ses yeux[2].»

Il ne tranche pas parce qu'il ne veut renoncer à rien, ni à ses ambitions ni au confort des palais de la République dans lesquels il vivra toute sa vie, ni à sa fuite permanente qui lui procure le sentiment d'être un homme libre, d'avoir

---

1. Entretien de l'auteur avec Jean-Louis Debré, juin 2016.
2. *Ibid.*

la jouissance de n'appartenir à personne sauf à lui-même. Alors il biaise, triche, esquive, ment, vous hypnotise, joue la comédie, la comédie du pouvoir, la comédie des apparences, incapable de choisir entre son désir profond de vivre « sa vraie vie » et celle qui lui est imposée et de laquelle il ne sortira jamais.

Le président qui aime tant toucher, serrer les mains, palper une épaule ou une cambrure est aujourd'hui coupé de cette relation si particulière qu'il accordait au corps et à toutes les énergies qui s'en dégagent. Cela fait un vide immense en lui. Il est comme un peintre devenu aveugle. Daniel se risque ce jour-là à lui réclamer un baiser sur la joue pour faire ressentir au président ce contact si particulier avec la peau, quelque chose qui ressemble à une sensation. Pour lui donner la preuve tangible qu'il est toujours vivant.

Jacques Chirac marque une pause puis tend sa bouche un peu timidement et embrasse son ami sur la joue. Daniel lui offre un baiser en échange. Étrange image, belle et iconoclaste, de cet homme d'État à qui l'on a prêté d'innombrables conquêtes, aujourd'hui enroulé dans une sombre solitude, coupé de tout contact charnel, protégé comme un trésor inca que l'on déplace avec des gants de soie et que plus personne n'ose toucher vraiment. Il y a les auxiliaires de vie sur lesquelles il laisse parfois glisser un regard gourmand et qui font semblant de ne rien avoir vu. Mais ça, ce n'est pas de l'amour...

Pas question de compter sur Bernadette pour lui apporter un peu de chaleur, lui offrir ce dont il a le plus besoin : une caresse, un baiser sur le front, simplement de la tendresse, il n'en demanderait pas plus. Rien ne sort d'elle, la source est tarie depuis tellement longtemps. Mais a-t-elle déjà coulé un jour ? Leur amour est à sec et il est maintenant trop tard.

9

UN HOMME SOUS INFLUENCE

Je n'écris pas ma vie, je regarde
ce qu'elle me dit, et je dis oui.

JIDDU KRISHNAMURTI (1895-1986)

Fuir est une forme de rébellion, une façon comme une autre de tourner le dos aux conventions, d'exister par soi-même. Mais Jacques Chirac est maintenant l'otage de lui-même. Embarqué dans le plus long voyage qu'il ait jamais fait. Est-il encore conscient de son état? Cette question, son entourage attristé se la pose chaque jour. Le Tout-Paris bruisse de mille rumeurs sur l'état de santé du président. Les intimes gardent le secret. L'énergie qui guidait ses pas le quitte peu à peu, inexorablement.

Jean-Louis Debré, son confident, lui qui n'est pas avare de bons mots lorsqu'il s'agit de parler de celui qu'il considère comme «son père», a les yeux humides lorsqu'il évoque sa maladie: «Il y a quelque temps, alors qu'il me tenait la main, il m'a dit: "Je souffre." Il n'a pas pu me regarder dans les yeux, c'était trop difficile pour lui[1].» Cette impuissance à pouvoir l'aider provoque chez lui de la tristesse et de la colère parce que les médecins ne disent pas tous la même chose. Certains affirment qu'il n'est conscient de rien, d'autres pensent qu'il a des moments de lucidité et qu'il est donc spectateur de son dénuement. Jean-Louis Debré retrouve le sourire quand il raconte, égrenant des souvenirs de vieux combattants, des petites anecdotes qui, reliées les unes aux autres, dessinent le visage d'un provocateur, celui d'un homme qui s'est aussi beaucoup amusé avec la vie, qui, malgré la charge qui l'occupait, cherchait continuellement à désobéir, à faire des petits pieds de nez à l'ordre établi, rien de bien grave. Comme cette nuit dans le palais du roi d'Arabie saoudite où le président et son ministre de l'Intérieur effectuent une visite officielle: «On m'appelle dans ma chambre, alors que je suis couché, pour me dire que le président veut me voir. Je m'inquiète. Je vais le rejoindre dans sa chambre. Sourire aux lèvres, il ouvre alors une mallette, qui contenait des bières que nous avons bues une bonne partie de la nuit[2].» Il aime jouer au «sale gosse», comme un jeu dont il ne se lasse pas, qui rend insaisissable, un masque pour cacher l'essentiel. Provocateur souvent à la limite de l'insolence, comme lorsqu'il était enfant. Même dans les moments les plus délicats de sa carrière, il continue à jouer à l'enfant gâté que rien n'effraie.

---

1. Entretien de l'auteur avec Jean-Louis Debré, mai 2016.
2. Entretien de l'auteur avec Jean-Louis Debré, juin 2016.

Au printemps 1994, au plus bas dans les sondages, le candidat Chirac doit rencontrer très discrètement les plus éminents représentants du patronat français qui lui ont donné rendez-vous avenue Raymond-Poincaré, dans le 16e arrondissement de Paris. «Sur le chemin, je lui avais bien expliqué qu'il fallait tout faire pour être agréable. Ils avaient choisi des vins fabuleux pour honorer sa visite. Et je vois Jacques Chirac qui attrape le verre et le boit cul sec comme s'il buvait une piquette[1].» Des tranches de vie où Jacques Chirac arrache sa liberté à la barbe des conventions, des petits instants volés qu'il aimait par-dessus tout.

***

Depuis que sa force physique l'a quitté, la flamme de la rébellion s'est éteinte et les femmes ont repris le pouvoir, mais l'avaient-elles réellement perdu? La seule différence, c'est qu'il ne peut plus «filer» comme avant. Impossible de se cacher, son espace de liberté s'est rétréci comme une peau de chagrin. C'est étouffant, lui qui aime tant les grands espaces et la liberté. Bernadette passe au bureau en coup de vent, se lamente beaucoup: «La vieillesse est un naufrage[2]», reprenant une formule de Chateaubriand, immortalisée dans les mémoires du général de Gaulle.

Le président est assis dans son fauteuil, sage, silencieux, les yeux dans le vague. La télévision bourdonne doucement. Daniel est à ses côtés comme chaque matin. Il reprend consciencieusement ses rituels matinaux: revue de presse pour faire faire un peu de gymnastique au cerveau du président, pour l'obliger à se souvenir, ou en tout cas à

1. *Ibid.*
2. Interview de Bernadette Chirac dans *Paris Match*, septembre 2012.

conserver quelques bribes. Sans cet inlassable travail, « le Grand » aurait rompu les amarres depuis bien longtemps. C'est une certitude.

Pendant que son mari reste toute la journée assis sur son fauteuil, Bernadette en profite pour courir les défilés de mode, partager des soirées chic avec son ami Karl Lagerfeld, participer jusqu'à pas d'heure à des soirées paillettes, comme si elle voulait, à grandes enjambées, vivre tout ce qu'elle n'avait pas pu faire lorsqu'elle était jeune mariée, prisonnière de sa vie de mère de famille, accrochée à son Jacques qui courait les filles. La voilà enfin libre. À quatre-vingt-un ans, Bernadette vit sa vie.

À quelques mètres du bureau de son père, une autre femme veille : Claude, sa fille, et bien plus encore, une vestale infatigable qui le protège, de lui-même, des journalistes qu'elle fuit comme la peste. Elle est son pilier, à la pierre rugueuse, exigeante, lunatique. Ces derniers temps, elle doit gérer mille petites choses qui au bout du compte ressemblent à un lourd fardeau : les études chaotiques de Martin, le petit-fils adoré, qui vient de trouver un emploi chez Christie's, ses relations avec sa mère, en dents de scie, et mille autres petits tracas, pas toujours gratifiants, qui se percutent, s'entrechoquent, sans véritablement réussir à s'emboîter les uns dans les autres... Fatiguée, surmenée, parfois dépassée par les événements, elle fait front, comme un soldat consciencieux et mutique qu'elle a toujours été, c'est dans sa nature.

Malgré l'état de santé de son père, la politique rôde toujours. Jacques Chirac est sorti du jeu, mais sa popularité auprès des Français n'a cessé de grandir et son nom est devenu une marque porteuse pour certains candidats à l'élection présidentielle. Alors il faut peser au trébuchet chaque mot, dire ou choisir de ne rien dire. Il faut rédiger des communiqués ou des tribunes comme celle publiée dans *Le Figaro* en octobre 2014, où Jacques Chirac, sans grande surprise, apporte son soutien à Alain Juppé qui se lance dans la bataille des primaires de la droite : « J'ai toujours su qu'Alain Juppé serait au rendez-vous de son destin et de celui de la France. Peu de choses pouvaient me faire plus plaisir, pour moi-même, pour lui et surtout pour notre pays. [...] Si j'en avais l'énergie, j'aurais déjà réservé ma place, même petite, à son QG de campagne. »

En fait, cette déclaration est un contre-feu. Car quelques jours auparavant sur les ondes d'Europe 1, Bernadette, qui se sent affranchie de toute contrainte, lance une charge sévère contre celui qu'elle n'a jamais vraiment apprécié : « Il est très, très froid et il n'attire pas les gens », et de poursuivre : « Qu'est-ce qu'Alain Juppé a à voir avec Nicolas Sarkozy ? [...] Alain Juppé peut courir avant de faire des succès comme ça, sur les planches[1]. » Bernadette a choisi Nicolas Sarkozy, elle n'en démord pas et cela agace la fille et le père... Elle sait qu'il a trahi son mari en 1995, mais elle a choisi son camp.

Pour Claude, les bureaux de la rue de Lille, c'est son « Élysée miniature », l'effet de cour en moins, à l'époque où la mère et la fille se chamaillaient à longueur de journée sur n'importe quel sujet devant des conseillers médusés. Aujourd'hui, rien n'a changé, tout se fait à fleuret moucheté, loin des médias. Et puis Jacques Chirac n'a plus la force de faire le médiateur pour apaiser les tensions. Mais l'a-t-il déjà fait ?

---

1. Interview de Bernadette Chirac sur Europe 1, 2014.

Claude a depuis quelques mois le visage triste, les traits tirés par l'épreuve qu'elle traverse, par la vie qui ne l'a pas épargnée non plus, la mort accidentelle de Christine, sa meilleure amie, fauchée en pleine fleur de l'âge, la maladie de sa sœur Laurence, la mort tragique de son premier mari Philippe Habert le 5 avril 1993, sa rupture avec le judoka Thierry Rey, le père de son fils Martin, ses parents vieillissants... Rue de Lille, rien ne se décide sans elle : on ouvre ou on ferme la porte aux visiteurs selon son bon vouloir. Elle a toujours été là, pour contrôler le col de chemise du président, donner son avis sur la couleur de ses costumes, n'hésitant pas à le sermonner lorsqu'il choisissait le polo Lacoste au lieu du complet traditionnel. Dans l'ombre, elle surveille et ne laisse rien au hasard : la place des journalistes, celle des caméras, la manière dont son père devait entrer dans les salons d'honneur. Discrète, pour ne pas dire absente des photos, elle a protégé son père comme une lionne. Elle fut l'artisan de ses victoires. Leur complicité était tellement forte qu'un simple regard, un geste, et le président comprenait. Une complicité unique dans l'histoire de la Cinquième République.

En 1989, un an après sa défaite face à François Mitterrand, son père, abattu et déboussolé, demande à sa fille de le rejoindre à la mairie de Paris pour prendre les rênes de sa communication. Elle a vingt-sept ans et sa présence à son cabinet est non négociable... Quelque temps après, en septembre de la même année, Pierre Charon est nommé conseiller presse du maire. Il a fait ses classes chez Chaban-Delmas, d'abord en charge des relations avec les médias, puis est monté en grade comme directeur adjoint du président de l'Assemblée nationale. « Je vous donne le meilleur de moi-même[1] », explique Jacques Chaban-Delmas à Jacques Chirac, qui cherche une pointure pour renforcer sa présence dans les journaux.

Pour la première fois, Pierre Charon décide de donner sa part de vérité sur cet homme qu'il a servi loyalement. Il parle avec les yeux, avec ce regard pétillant, un brin malicieux, lorsqu'il raconte son parcours. Avec Chaban-Delmas, il a croisé la Terre entière et possède un solide carnet d'adresses au carrefour du journalisme, du show-biz et de la politique, qu'il met à la disposition de son nouveau patron. Il lui présente son ami Philippe Habert, le « monsieur opinion du *Figaro* ». Un personnage fantasque, un homme anticonformiste et ambitieux, à la fois provocateur et brillant au point d'en devenir un brin agaçant. Jacques Chirac le surnomme le « Pierreux », une face lisse et l'autre rugueuse. Un homme qui va entrer dans sa vie puisque, entre lui et sa fille Claude, c'est le coup de foudre. Le 12 septembre 1992, le couple se marie à Paris, Claude choisit comme témoins deux proches de son père, le communicant Jean-Michel Goudard et Nicolas Sarkozy, un très bon ami... Philippe Habert a trouvé, dit-il, « la femme de sa vie ». Il n'en dit pas autant de sa belle-famille, avec laquelle les relations sont électriques. Le courant passe mal. Philippe Habert et sa liberté de ton, ses attitudes parfois décalées, sa façon d'être tout simplement, ne collent pas avec le plan de carrière des Chirac.

Quelques semaines plus tard, le 3 octobre, le couple célèbre religieusement leur union dans la chapelle

---

1. Propos rapportés par Pierre Charon, entretien avec l'auteur, décembre 2016.

de Sarran, le fief des Chirac. Une fête somptueuse est organisée au château de Bity, une sorte de camp des draps d'or où festoie un parterre d'invités venus du show-biz et du monde des affaires. Il y a les proches, Line Renaud, Olivier de Kersauson, Gregory Peck qui a traversé l'Atlantique pour l'occasion. Michel Leeb et Patrick Sébastien amusent la galerie. Des cadeaux venus du monde entier remplissent une salle du château. Mais à peine le mariage consommé et le voyage de noces à Venise terminé que le couple bat de l'aile. Chacun a retrouvé son appartement comme avant le mariage. Les avocats font leur apparition et on parle déjà de divorce.

Claude et Philippe, c'est une histoire éphémère morte avant d'avoir vraiment commencé. «Je me souviens que, quelque temps après le mariage, des avocats sont venus faire le partage des cadeaux reçus pendant la cérémonie, ce n'était pas bon signe[1].»

Rapidement, le ton monte dans le couple. En cause, une petite phrase prononcée par Philippe Habert lors d'une émission de télévision. Une phrase qui déclenche une tempête. En janvier 1993, le politologue s'en prend à Édouard Balladur auquel il avait refusé de serrer la main à son mariage, l'accusant d'avoir censuré un de ses articles. Ce soir-là, il égratigne l'allié de Jacques Chirac en l'accusant de souffrir de «non-représentativité sociale». Stupeur chez les Chirac qui craignent que cette petite phrase blessante remette en question les plans de celui qui se prépare à l'élection présidentielle de 1995.

Quelques jours plus tard, Claude Chirac accorde un entretien à *Globe Hebdo* et désavoue publiquement son

---

1. Entretien de l'auteur avec Pierre Charon, décembre 2016.

mari en dévoilant, au grand jour, la crise que traverse le couple. Ironie de l'histoire, Claude prend la défense d'Édouard Balladur : « Je ne savais pas qu'il était invité au journal de France 3. Je ne pense pas qu'Édouard Balladur ait pensé un instant que cela puisse être prémédité. Pour ma part, j'ai trouvé cela déplacé et immature[1]. » Les mots claquent et signent leur rupture.

Claude Chirac n'aura finalement pas résisté à l'attraction magnétique de son père. La voilà repartie sur les routes, jamais à la maison, toujours en retard, pas faite pour attendre son mari comme une épouse modèle. Philippe, lui, vit la nuit pour écrire ses articles, dopé au café, trouvant le sommeil grâce aux médicaments. Claude et Philippe, un couple comme une comète dans le ciel, offrant un furtif moment de beauté, avant de plonger à toute allure dans l'obscurité.

Huit mois après leur mariage, le 5 avril 1993, Philippe Habert est retrouvé mort dans son appartement de la rue Barbette dans le Marais. La police conclut à une mort accidentelle provoquée par une overdose médicamenteuse, c'est la version officielle, ce qui n'empêche pas la rumeur d'enfler sur un éventuel suicide de Philippe Habert par dépit amoureux.

Pierre Charon est en deuil, il vient de perdre un ami très cher. À cette période, il a quitté sans regret son poste à la mairie de Paris pour rejoindre l'équipe d'Édouard Balladur, « l'ami de trente ans » de Jacques Chirac, éreinté par l'ambiance qui règne à l'Hôtel de Ville. « Chirac, c'est Sean Connery habillé en militaire tenant une mitraillette,

---

1. Interview de Claude Chirac dans *Globe Hebdo*, 24 février 1993.

l'image du guerrier, mais au fond tout ça n'était pas vrai. Chirac détestait les conflits. Nous avons eu deux ou trois dossiers sensibles à régler et sa phrase était toujours la même : je ne veux surtout pas d'une grenade dégoupillée dans Paris. Cela voulait dire : surtout pas de vagues[1]. »

De ses quatre années de collaboration aux côtés du maire de Paris, il garde, gravées à jamais dans sa mémoire, les relations houleuses et tendues avec Claude Chirac. « J'avais l'impression que tout ce que je faisais la journée pour le maire était démonté le soir par sa fille, qui le temps d'un dîner mettait par terre mon travail[2]. » Il a tenté de s'en ouvrir à Jacques Chirac. « Les moments que j'ai préférés, c'est quand nous étions tous les deux, seul à seul, dans la voiture, là, il était possible de lui parler, de lui faire passer des messages, à ces instants nous avions de réels échanges[3]. » Mais Jacques Chirac n'a jamais tranché, il n'en avait pas envie. Pierre Charon le sait au fond de lui, son bras de fer avec Claude était perdu d'avance. La fille de son père avait toujours raison, même quand elle avait tort.

Pierre Charon, qui est devenu un proche pour ne pas dire un ami de Nicolas Sarkozy, a décidé aujourd'hui de parler, de raconter sa version des faits sur cette époque.

Quand on lui demande si Claude Chirac et Nicolas Sarkozy ont eu une histoire d'amour, il marque une petite pause parce que cette question, beaucoup se la sont posée et se la posent encore. Une rumeur tenace qui a circulé pendant des années. Les deux principaux intéressés ont toujours maintenu une chape de plomb sur

---

1. Entretien de l'auteur avec Pierre Charon, décembre 2016.
2. *Ibid.*
3. *Ibid.*

le sujet. « Il est arrivé assez régulièrement que les deux complices s'échappent de Paris pour aller assister, comme de simples supporters, à des matchs de tennis de leur ami Henri Leconte, qui jouait sur les courts en gazon de Wimbledon[1]. »

Nous sommes dans les années 1980, le temps où Claude et Nicolas fréquentaient des stars du sport, ambiance bling-bling.

Sur son départ de l'Hôtel de Ville, Pierre Charon dévoile l'envers du décor, pas la version officielle où l'on raconte que Jacques Chirac l'aurait fait descendre de sa voiture au milieu de nulle part sous prétexte qu'il aurait mal parlé de sa fille à l'extérieur : « Les choses ne se sont pas du tout passées comme ça. Édouard Balladur m'a demandé de le rejoindre. Jacques Chirac s'y est opposé, il m'a laissé pendant six mois sans mission particulière. J'ai trouvé le temps long, Claude avait repris intégralement la main[2]. »

Combien de vies broyées dans les mâchoires de Jacques Chirac ? « Un jour, ma femme me dit : "C'est moi ou Chirac." » Daniel a choisi Chirac pour le meilleur et pour le pire. Il ne le regrette pas. Tous ont donné leur vie, comme envoûtés par ce personnage si charismatique, si attachant. D'autres le racontent différemment avec leurs mots. Bernard Courant, l'un de ses gardes du corps, coule aujourd'hui une retraite paisible. Ses yeux pétillent encore quand il parle de Chirac, ses chemises mouillées de sueur après une réunion publique. « Il avait un côté Johnny Hallyday, il aimait la scène, c'est une vraie rock star[3]. »

---

1. *Ibid.*
2. *Ibid.*
3. Entretien de l'auteur avec Bernard Courant, février 2016.

Mais vivre à côté d'une vedette de la politique l'a empêché lui aussi de construire une famille, brûlé par cette vie trépidante : « Quand je croisais Anne Sinclair, je lui disais toujours : "Vous, votre boulot, c'est la télé ; moi, c'est Chirac" ; et ça la faisait rire », se souvient Jean-Claude Lhomond, le chauffeur du « Grand », qui lui aussi l'appelle comme ça.

Il travaille à ses côtés plus de vingt-cinq ans, sept jours sur sept. Jean-Claude Lhomond devient bien malgré lui le double du président, ses yeux et ses oreilles. Vingt-cinq ans de vie commune, accroché au volant de sa berline, ça forge un destin. Il a vingt-trois ans quand il croise la route de Jacques Chirac, alors tout nouveau ministre de l'Agriculture. Nous sommes en 1973. Le voilà embarqué dans un grand voyage, l'aventure d'une vie, qui va mal se finir. Il le suit jusqu'aux sommets comme un cocher docile et fidèle, des grosses coupures dans les poches pour offrir des cadeaux aux jolies femmes que le ministre a séduites ou aimerait conquérir.

D'abord chauffeur du ministère de l'Agriculture, puis du Premier ministre, du maire de Paris, et enfin du président. Sans compter les déplacements en Corrèze, où Jacques Chirac continue de labourer son fief électoral. Des centaines de milliers de kilomètres avec le président, été comme hiver, de nuit comme de jour, au volant de sa voiture. Il connaît cet homme mieux que quiconque, parce que l'habitacle d'une voiture est un endroit aussi intime qu'un confessionnal. Il a fréquenté la famille, transporté Bernadette en Corrèze lorsqu'elle se lança en politique en 1979 : « J'ai fait la campagne des cantonales avec elle. Ferme après ferme, et à chaque fois il fallait trinquer, c'est moi qui buvais les verres. Le soir, on faisait un compte rendu téléphonique au "Grand".» Il fait rapidement partie de la famille.

Il a bien connu la période show-biz de Claude, où l'oiseau de nuit changeait souvent d'appartement. Il raconte l'univers doré de cette jeune fille bien née qui brûle sa vie dans des fêtes étourdissantes. Claude a bien tenté de s'affranchir de cet univers politique dans lequel elle était tombée dès sa naissance, de trouver sa route par elle-même, prouver à ses parents qu'elle pouvait voler de ses propres ailes, mais finalement elle est revenue boire à la source. Après un bref passage dans le privé, elle choisit de servir son père, sans faillir, de la mairie de Paris à l'Élysée jusqu'aux derniers jours. Les visiteurs qui ont poussé la porte de son bureau à l'Élysée ont vite compris que la seule personne qui comptait dans sa vie, c'était son père : «Pas une photo de sa mère, il n'y avait que des photos de son père partout au mur, sur son bureau», se souvient un habitué des lieux.

Un amour décharné les unit, sec, plein de pudeur et de non-dits. Chez les Chirac, on aime sans jamais se le dire, sans jamais ne rien montrer ou si peu, enroulé dans une peau de crocodile épaisse... On ne s'embrasse pas non plus, ou alors sur le front du bout des lèvres, pas le temps, pas le désir, pas dans les habitudes de la famille. Rue de Lille, le père et la fille sont restés sur le même rythme qu'à l'Élysée, elle l'appelle Jacques, lorsqu'elle donne des interviews à la radio ou à la télévision, elle dit «Chirac», un mot qui claque dans sa bouche comme un coup de fouet, lui l'interpelle par son prénom. Jamais personne n'a entendu Claude dire «papa».

Sauf que Jacques Chirac n'est plus au pouvoir, que l'Élysée est sur l'autre rive et que le palais dérive sur un autre continent qui jour après jour s'éloigne un peu plus. Ils ressemblent à deux fantassins qui ont combattu les pieds dans la boue, bravant les mêmes dangers pour atteindre le même objectif : conquérir le pouvoir coûte que coûte et le conserver. Ce qu'ils ont réussi à faire. Mais la guerre est finie depuis longtemps.

Voilà Claude en deuil de sa vie, perdue dans ses souvenirs, y a-t-il une vie après Chirac? Tout va lui sembler bien fade. « C'est un personnage romanesque, plein de rêves dans la tête, mais terriblement pudique[1]. » « Ma fille est une Chirac », soupire Bernadette quand elle parle de Claude. Elle a tout vécu à ses côtés : les drames familiaux, a croisé les grands de ce monde, monté des meetings grandioses, des coups politiques, même si elle s'en défend. C'est elle qui, avec l'aide de Daniel, a l'idée d'organiser un tour de France des villes et des villages pour mettre son « père candidat » en prise directe avec les Français. Elle fut la créature de son père, devint une complice redoutable. Elle est aujourd'hui son dernier rempart.

Avec l'âge, la maladie, le président est comme un petit enfant, ballotté entre son bureau et son appartement, transbahuté de son fauteuil à sa chaise roulante. Il ne décide de rien ou de pas grand-chose. Drôle de trajectoire que celle de Jacques et de Claude.

Avec elle à ses côtés pour le conseiller, il a retrouvé la quiétude d'une ombre tutélaire. Claude a repris le flambeau abandonné par Marie-France Garaud vingt ans plus tôt. Elle est la maîtresse sévère, sans concession, et il obéit au doigt et à l'œil... Chez Jacques Chirac, il y a deux

---

1. Citation de Jean-Michel Goudard extraite d'un article de *L'Événement du jeudi*, 25 avril 1995.

catégories de femmes, celles qu'il soumet et celles qui le possèdent. Les femmes sont comme des continents vierges, des espaces de découverte, mais elles sont aussi des lianes solidement enroulées autour de sa vie. Elles racontent en filigrane ses renoncements, ses faiblesses, elles ouvrent des portes sur «des ailleurs» qui ont été sacrifiés sur l'autel de la politique et de l'ambition. Jacques Chirac, un homme prisonnier toute sa vie d'un destin que d'autres vont s'ingénier à écrire à sa place...

Il y a ce père qui d'abord le laisse expérimenter, puis le fait revenir *manu militari* sur la route qu'il croit bonne pour lui. Son fils, qui rêve de prendre le large, ne sera pas marin au long cours. Un peu plus tard, à l'été 1953, son escapade américaine et son idylle avec Florence Herlihy tournent court. Florence est une jeune fille de bonne famille, ravissante, au visage moucheté de taches de rousseur, dont il tombe éperdument amoureux. Elle l'appelle son *«honey child»*, son «bébé au miel», il la surnomme *«Southern Belle»*, ma «Belle du Sud». Ils roulent des heures dans la décapotable de Florence, comme dans les films américains. Ils se fiancent dans leur tête, la vie leur appartient: «C'était comme un conte de fées, j'avais rencontré le beau prince charmant sur son cheval blanc, il allait m'arracher à mon milieu et m'enlever par-dessus l'océan[1].» Mais le jeune Chirac est déjà fiancé avec Bernadette. Sa famille voit d'un très mauvais œil cette liaison. Le cœur gros, le jeune Chirac est obligé de rompre avec sa belle Américaine, Bernadette l'attend, c'est une autre vie qui commence. Jacques Chirac n'a pas trouvé la force ni l'envie de renverser la table, il

---

1. Citation de Florence Herlihy tirée de l'article «Chirac, sa fiancée américaine», *Paris Match*, 13 juin 1996.

rentre dans le rang. Il renonce sans avoir pu choisir, en donnant l'impression de se laisser porter.

Plus tard, il rêve d'une carrière militaire, mais doit revenir en France pour user ses fonds de culotte sur les bancs de l'ENA. Jacques Chirac a l'âme d'un explorateur, tiraillé entre son désir d'ailleurs et son goût pour le conformisme et les plaisirs d'une vie bourgeoise. Probablement, il aurait aimé une autre vie, mais pour cela il faut savoir dire non : « Il déteste le conflit, c'est un truc qui l'ennuie profondément. C'est son côté yin et yang. C'est un homme qui au fond recherche la paix, les équilibres, c'est une posture qu'il puise probablement dans le bouddhisme[1]. » Ce qui, dans une traduction occidentale, et sous la plume des journalistes de l'époque, a classé Jacques Chirac dans la catégorie des hommes politiques « rad-soc », c'est-à-dire usant du compromis, le poussant à surtout « ne pas brusquer, ne pas heurter les Français[2] », une ligne de conduite qui est la somme de tous ces renoncements accumulés. Une ligne de conduite qu'il va garder tout au long de sa carrière politique comme un mantra.

Chez lui, il y a les apparences et la réalité, et les deux ne se mélangent jamais. Jacques Chirac, c'est Bonaparte avec l'âme d'un moine tibétain...

Cet homme qui a dirigé la cinquième puissance mondiale pendant douze ans est, tout compte fait, un rebelle contrarié. En langage militaire, on dirait de lui qu'il a fait des incursions en territoires étrangers, avec un certain panache d'ailleurs, mais à chaque fois le combattant est revenu à sa base, rappelé à l'ordre par ses supérieurs, son

---

1. Entretien de l'auteur avec Denis Tillinac, août 2016.
2. Entretien de l'auteur avec Jacques Toubon, mars 2016.

père, Marie-France Garaud, Pierre Juillet et Bernadette. Il aimerait se révolter, il essaiera parfois de relever la tête, mais n'y arrivera pas vraiment, écrasé par le poids de son éducation, figé par ses démons intérieurs, soumis à la voix du plus fort. Quelques femmes vont réussir à le retenir plus longtemps que les autres, à fendre son armure, à toucher le cœur du cristal. Il sent cette liberté à portée de main. Dans ces instants de trouble, il hésite, tergiverse, s'enflamme, réalise qu'il pourrait franchir le Rubicon pour enfin vivre sa vie, puis finit par se rendre à la raison, en se pliant à la volonté de ses conseillers, de ceux qui décident pour lui, incapable de dire non. Pour masquer ses angoisses, Jacques Chirac se met alors en mouvement, s'agite, pour ne pas regarder tout ce qu'il est obligé d'abandonner. Parfois, ce séducteur compulsif est vaincu par l'amour. Alors il pose un genou à terre.

En 1974, Jacques Chirac a quarante-deux ans. Il est Premier ministre et tombe amoureux d'une journaliste du *Figaro*, Jacqueline Chabridon. Elle porte le prénom de sa sœur et a les mêmes initiales que lui : «J. C.»... un signe! Elle est belle, jeune et impertinente, et plutôt à gauche. Elle a été la femme de Charles Hernu, un proche de François Mitterrand. Elle rencontre Jacques Chirac lors d'un reportage en Corrèze. Elle doit faire son portrait pour le quotidien. Elle ne l'écrira jamais. Elles furent nombreuses, carte de presse en poche, à se laisser séduire par le jeune loup. Mais cette fois-ci, ce n'est pas une tocade d'un soir avec une belle journaliste rencontrée sur le terrain. Non, avec elle, c'est autre chose. Ils tombent tous les deux amoureux passionnément. Il lui écrit des mots enflammés, des poèmes sur un coin de table, ils ne se cachent plus, il est prêt à tout plaquer pour cette femme.

« PRÉSIDENT, LA NUIT VIENT DE TOMBER »

« Je vais t'épouser, lui dit-il la voix tremblante, et quand je serai président de la République, tu dirigeras mon service de presse[1]. » L'entourage s'inquiète. Ils commencent à perdre le contrôle de leur poulain sur lequel ils ont tous misé. Entre alors en scène Marie-France Garaud, encore elle, qui décide de rencontrer Jacqueline Chabridon pour la convaincre que cette histoire est sans issue : « Au nom de la France, je vous demande de partir », lui intime-t-elle. « On avait ordre d'éloigner cette journaliste. On a fait en sorte qu'elle ne soit plus dans les voyages pour accompagner le Premier ministre. Il fallait briser, à tout prix, cette liaison », explique cet homme qui entend garder l'anonymat.

La pression mêlée de menaces sur Jacqueline Chabridon fonctionne à merveille. La journaliste se sent en danger et elle n'a pas tort ! On visite son appartement, lettres et poèmes de Jacques Chirac lui sont dérobés. Une ultime rencontre entre les deux amants est autorisée par Marie-France Garaud, rue Vaneau, dans le 7e arrondissement, pour d'ultimes adieux et d'inoubliables baisers. On demande à Bernadette de se montrer aux côtés de son mari, de l'accompagner dans ses voyages. Marie-France Garaud peut souffler : son champion va pouvoir repartir à l'assaut du pouvoir et elle a sauvé les apparences... Mais pour combien de temps ?

Marie-France Garaud est une femme redoutable... Peu à peu, elle a pris une place considérable dans la vie de Jacques Chirac. Elle est omniprésente, ajuste sa cravate, relit ses discours, les lui fait répéter, époussette les poussières sur son manteau. Cette femme de tête, au chignon noir impeccablement tiré, est selon les humeurs admirée, crainte, détestée. Pour tous, elle fait peur, par son autorité et son

---

1. *Le Président aux cinq visages*, de Xavier Panon, L'Archipel, 2012.

190

ton acerbe. Face à elle, Jacques Chirac est comme un petit enfant qui vient se blottir dans les bras de cette marâtre sévère. La rumeur va même jusqu'à lui prêter une liaison avec Jacques Chirac. Elle s'en défend, aujourd'hui encore. Marie-France Garaud joue avec Jacques Chirac comme avec une marionnette en chiffon qu'elle agite à sa guise, c'est Gepetto qui s'amuse avec Pinocchio. Pour le dire autrement, à ses yeux, Chirac est un cheval de course, un beau pur-sang, encore un peu jeune mais tellement prometteur. En 1974, avec Pierre Juillet, ils le propulsent à Matignon. Ils le savent, le coup est risqué... Deux ans plus tard, ils doivent revoir leur stratégie. « Le bel étalon » n'a pas tenu la distance et présente sa démission. Les relations avec Valéry Giscard d'Estaing sont exécrables, choc des styles et duel d'ambitions ont eu raison de ce couple exécutif si mal assorti. Et pour souffler sur les braises de la discorde, cachés derrière le rideau, « les diaboliques », comme la presse les a baptisés : Marie-France Garaud et Pierre Juillet. Pour la première fois dans l'histoire de la Cinquième République, un Premier ministre démissionne de son poste et l'annonce lui-même à l'occasion d'une conférence de presse télévisée qui, aux dires des observateurs, est totalement ratée. L'homme est crispé, il y a de la colère dans ses yeux, il n'a pas réussi à trouver le ton juste. Trente ans plus tard, Marie-France Garaud revient sur cette démission. Elle n'a pas de mots assez durs pour parler de celui pour lequel elle a tant investi et dont elle fut si peu récompensée : « Si Jacques Chirac n'avait pas tenu à Matignon, qui n'est que de la gestion, comment pouvait-il tenir à l'Élysée, alors que la fonction réclame une vision[1] ? »

---

1. Article de Raphaëlle Bacqué paru dans *Le Monde* du 26 mai 2006.

Cet été 1976, deux ruptures marquent la vie de Jacques Chirac: son départ du gouvernement et la fin de son histoire contrainte et forcée avec «sa» Jacqueline qu'il aime. Tout cela se mélange, se contredit. Son renoncement l'ulcère, le mine de l'intérieur.

Quelques mois plus tard, détruite par cette histoire d'amour, Jacqueline Chabridon tente de mettre fin à ses jours. La belle au cœur brisé tombe pendant trois jours dans le coma. Sans que Jacques Chirac ne prenne le temps de lui écrire un mot ni de lui rendre visite. Une blessure intérieure dont il ne dit rien ou si peu, et qu'il recouvre de silence, ne jamais s'appesantir sur le passé: «Une vache ne revient jamais deux fois à l'abreuvoir», comme il aimait souvent le dire avec ce langage trivial et imagé. Chirac regarde toujours devant, sans se retourner, pour ne pas avoir à souffrir du désastre dont il est responsable. Longtemps après, lorsque Pierre Péan l'interroge sur cette période de sa vie, Jacques Chirac élude et minimise: «Ce n'est pas quelque chose qui m'a beaucoup marqué.»

Le 5 décembre 1976, le voilà remis en selle. Avec Charles Pasqua, il crée le RPR, le Rassemblement pour la République. La droite a désormais son parti et elle tient son champion... Jacques Chirac en sera la vedette, il sera leur Johnny Hallyday, celui qui enflammera les salles et retournera les cœurs, il est le candidat idéal pour le poste, il est celui qui va les faire gagner. Le bel étalon n'a finalement pas réussi à défaire sa bride et il n'a pas le choix, il doit poursuivre sa course d'obstacles comme si de rien n'était.

Avec le RPR naissant, une machine de guerre à son service, Jacques Chirac remporte les élections municipales à Paris et devient le premier maire de la capitale depuis 1871. Là encore, Marie-France Garaud réécrit l'histoire et jette aux orties sa collaboration avec cet homme qu'elle a tant soutenu et peut-être secrètement admiré : « Lorsque Chirac a conquis la mairie de Paris, nous nous sommes un peu retrouvés comme des parents soulagés d'avoir casé le petit dernier. D'ailleurs, d'habitude, on ne sort jamais de la mairie de Paris pour aller plus haut. Vous conviendrez que ce n'est pas de veine[1]. » À cette époque, elle n'est pas la seule à douter de ses capacités, à se demander s'il a les épaules pour aller jusqu'au bout. Comment expliquer ses mots, trempés dans le fiel et recouverts de mépris, autrement que par sa rage d'avoir été évincée du jour au lendemain par Bernadette, au moment de « l'appel de Cochin » en 1978 ?

L'épouse oubliée ne supporte plus Marie-France Garaud, ses manières avec son mari, cette façon de la regarder de haut. Ce n'est pas « l'appel de Cochin » qui l'a fait sortir de ses gonds, mais la façon dont se comporte Marie-France Garaud. La conseillère lui a volé son mari, alors Bernadette a décidé de se battre : « Elle a beaucoup de mépris pour les gens. Elle les utilise, puis elle les jette. Moi, elle me prenait pour une parfaite imbécile... Son tort a été de ne pas se méfier assez de moi : on ne se méfie jamais assez des bonnes femmes[2]. »

Les deux conseillers quittent la chambre d'hôpital sur-le-champ, se souvient l'un des gardes du corps du président. Bernadette vient de reprendre la main. La tortue s'est transformée en fauve, ulcérée de voir son mari renoncer doucement à son libre arbitre, blessée d'avoir progressivement perdu sa place que pour rien au monde elle ne

---

1. *Ibid.*
2. Entretien avec Bernadette Chirac dans *Elle*, 8 mai 2014.

veut partager. Dès cet instant, elle monte la garde devant la chambre d'hôpital, filtre les entrées, ne le lâche plus d'une semelle, avec l'instinct d'une lionne qui sent que son mari lui échappe. Elle va même jusqu'à refuser une visite de Ronald Reagan de passage à Paris. Certes, il n'est pas encore président des États-Unis, mais quand la limousine se gare devant le hall, l'ancien acteur de Hollywood n'imagine pas un instant rester à la porte : « Quand nous avons été informés que Reagan était en bas et qu'il souhaitait voir Jacques Chirac, Bernadette m'a dit : "Hors de question que ce cow-boy rencontre mon mari" et elle l'a reçu dans le couloir[1]. »

Elle le sait, ou en tout cas en a l'intuition, son Jacques ne la quittera jamais. Elle a perçu cette imperceptible faille. Ses frasques, son libertinage n'ont pas de prise car il revient toujours à la maison pour retrouver Bernadette, « maman », comme le président l'appelle parfois dans l'intimité de leur huis clos doré. Un sobriquet que « Les Guignols de l'info » ont immortalisé. Beaucoup l'ont prise pour celle qu'elle n'était pas. Une tortue, toujours en retard, toujours en retrait. Mais sommeillait une autre Bernadette, capable de se transformer en mante religieuse, redoutable et venimeuse : « Beaucoup de femmes ont voulu ma place… elles aimaient l'homme, elles aimaient aussi les ors. D'ailleurs, elles ne voient que le côté doré, elles se font des idées[2]. » Dans les années 1990, l'ogre Chirac met une nouvelle fois un genou à terre. Une autre femme lui a retourné le cœur. Journaliste elle aussi, mais à l'AFP, elle est chargée de suivre la Ville de Paris dont Jacques Chirac est le maire. Elle s'appelle

---

1. Entretien de l'auteur avec Bernard Courant, février 2016.
2. Entretien avec Bernadette Chirac dans *L'Express*, 2016.

Élisabeth Friedrich. Il la couvre de cadeaux... Quand il l'appelle à l'agence pour lui conter fleurette, Jacques Chirac se fait passer pour «Monsieur Nicolas». Personne n'est dupe et les standardistes reconnaissent sa voix dès le premier appel. Cette histoire aurait dû rester secrète si des juges, qui enquêtaient sur les marchés truqués en Île-de-France, n'étaient pas tombés incidemment sur des voyages de Jacques Chirac payés en liquide à des proches, voire très, très proches. Élisabeth Friedrich fait partie des heureuses bénéficiaires. Plus de dix ans après cette liaison, un article de *Libération* de juillet 2001 dévoile une photo de Jacques Chirac en charmante compagnie. La femme sur le cliché est Élisabeth Friedrich. La photo fait scandale. Une nouvelle fois, Bernadette est humiliée publiquement. La séduisante journaliste partagera d'autres destinations. Rome, Tozeur en Tunisie, l'île Maurice dans l'un des plus beaux palaces de l'archipel où le président a ses habitudes. Tozeur est une ville du Sud tunisien que Jacques Chirac connaît bien puisque, en 1982, il vient rendre visite au mage installé dans cette ville posée dans le désert. Le mage est un voyant dont la renommée court dans tout le Moyen-Orient et au-delà. De Brigitte Bardot à Alain Delon en passant par Valéry Giscard d'Estaing, tous sont venus écouter les prédictions de ce vieux sage.

Tozeur est l'endroit idéal pour s'isoler, loin de Paris, dans les bras d'Élisabeth. Sans cette affaire de billets d'avion payés en liquide dévoilée au grand jour, jusqu'où serait allée leur histoire? Personne ne peut le savoir. Ce qu'il n'avait pas eu le courage de faire avec Jacqueline, l'aurait-il trouvé cette fois-ci avec Élisabeth? Le couple adultérin est obligé de rompre parce que cette histoire d'amour secrète vient de basculer dans un autre registre, celui des affaires qui vont faire la une des journaux... Il faut alors, comme on dit dans le jargon des services secrets, «débrancher» la maîtresse encombrante, et cette fois-ci Marie-France Garaud n'y est pour rien. Une parenthèse amoureuse et récréative se ferme. Jacques Chirac, une nouvelle fois, reprend sa route.

De quoi cet homme est-il le maître? De son agenda? Sûrement pas, toujours à courir d'un rendez-vous à un autre... De ses sentiments? Il se couche au premier haussement de ton, revenant tête baissée sur la route qu'on lui a tracée. Il s'est nourri des femmes, jusqu'à plus faim, comme d'un élixir magique censé apaiser ses angoisses. Il en fut leur esclave, mais elles lui donnèrent la force qui lui manquait pour atteindre les sommets, elles furent son inavouable botte secrète.

Un jour de 2009 pourtant, avec son ami Christian Deydier, il décide de briser le secret. Une sorte de coup de folie, un brin potache. Il n'est plus président, n'a plus d'obligations, alors il se lâche. Dans l'avion qui les ramène de Shanghai, ils se lancent un défi, pour rire: écrire un livre sur ses conquêtes. L'expert en art chinois est sous la dictée de son ami. Le livre s'appellera *J'ai ouï dire*. Crise de rire à chaque ligne. Les mots glissent sur le cahier. Chaque femme, la plupart connues, parfois célèbres, est affublée d'un surnom imagé, en relation avec son activité professionnelle ou politique. Ils revisitent *Les Caractères* de La Bruyère, mais dans un style plus gaulois. Ils ressemblent à deux camarades de lycée, planqués au fond de la classe, préparant une mauvaise farce... Sauf qu'avec ce livre ils peuvent faire sauter la République ou à défaut briser des couples. Lorsque Claude découvre leur projet, elle entre dans une terrible colère. Elle exige que le manuscrit lui soit remis sur-le-champ. Le président s'exécute, penaud. Plus personne n'entendra parler de cette pochade. Jacques Chirac aurait pu se révolter mais il ne le fera pas. Comme un enfant sage, devant une maîtresse autoritaire, il jette ses souvenirs intimes au fond d'une poubelle pour reprendre le chemin balisé de sa vie, celui de l'ordre établi.

À quelques pas du bureau du président rue de Lille, la vie politique suit son cours. La place Édouard-Herriot, aux arbres centenaires, baignée de soleil, est quasi déserte. Daniel promène son chien comme chaque jour, il porte une musette en bandoulière et un manteau à la toile épaisse. Il tire sur sa cigarette, profitant de ses quelques minutes de liberté, loin du président. Parfois, on aperçoit Claude et son chien. Drôle de manège... Alain Juppé devrait passer dans l'après-midi rendre visite à Jacques Chirac. Daniel regarde au loin, les yeux dans le vague, pense à sa vie, à demain, mais demain, c'est loin.

Ici, les collaborateurs, les députés traversent cette petite place ombragée à toute allure, la tête baissée, le téléphone collé à l'oreille, documents sous le bras. Un cortège ministériel s'engouffre dans le Palais-Bourbon. Daniel salue à la cantonade un député de droite qui freine sa course, le visage soudain illuminé. Il s'empresse de demander des nouvelles du président. Daniel reste évasif, une sorte de langage à distance, surtout ne rien dire de son véritable état, rien qui puisse être répété puis déformé. Le député serre la main à Daniel et s'éloigne à grandes enjambées.

À cet instant, une mobylette s'arrête juste devant Daniel. L'homme qui vient d'appuyer sur le frein s'appelle Michel Abbate. De loin, grimpé sur son engin, il pourrait ressembler à un cantonnier qui vient de sortir du boulot, il porte un gilet de sécurité orange fluo posé sur un vieux manteau. Daniel se fige. Avec le casque, il ne le reconnaît pas tout de suite, mais son visage se barre soudain d'un large sourire lorsque Michel le retire. Ils se connaissent depuis si longtemps. Dans le «civil», il est boucher-charcutier dans le 7ᵉ arrondissement de Paris. Son temps libre, il le consacre à sa famille politique.

Quarante ans de meetings en réunions nocturnes, de soirées électorales en conférences de presse improvisées. Michel est une figure incontournable de la chiraquie, une petite main de cette vaste machinerie. Il fait partie de ceux qui ont assuré la sécurité du RPR, puis de l'UMP et aujourd'hui des Républicains. Posté devant l'entrée du parti, il est sur toutes les images, costume croisé des années 1980, cheveux longs grisonnants, il a une gueule de cinéma, avec des faux airs de Galabru. Il tutoie tous les ténors parce qu'il les a vus faire leurs premiers pas. Question rituelle sur la santé du «Grand», comme Michel l'appelle affectueusement, à l'instar de tous ceux qui l'aiment.

Daniel prend à son tour de ses nouvelles, lui demande comment les choses se passent chez les Républicains. Maintenant que le siège du parti est installé rue de Vaugirard et dirigé par Nicolas Sarkozy, l'information circule moins et l'ambiance n'est plus la même. Michel se lance dans une longue tirade sur la manière dont Nicolas Sarkozy traite son équipe de sécurité pendant ses déplacements: «Pas un verre d'eau, même pas une pomme, on est restés debout pendant plus de quatre heures, sans un bonjour, sans un merci. Jamais cela ne serait arrivé du temps du "Grand".»

Daniel l'écoute et sourit en tirant sur sa cigarette, parce qu'il sait que ce qu'il dit est vrai, d'autres sources lui ont raconté la même chose. Michel parle de Jacques Chirac comme d'un père, une sorte de monstre sacré, il raconte à la chaîne des anecdotes qui disent toutes la même chose, et ça lui fait un bien fou. Jacques Chirac ne les oubliait jamais, il les respectait, leur serrait toujours la main. «Je me souviens d'une fois dans un hôtel, on gardait sa porte, on avait le ventre vide, "le Grand" est sorti et nous a demandé si on avait mangé, il a aussitôt commandé un repas pour l'équipe, y a que lui pour faire ça.»

Avant de tourner la clé de sa mobylette pour repartir, il explique à Daniel en se passant la main dans les cheveux poivre et sel qui coulent sur sa nuque que les temps de la rue de Lille sont bien loin et qu'il envisage même de ranger son costume des années 1980, de claquer la porte des Républicains au nez de Nicolas Sarkozy – qui ne connaît d'ailleurs toujours pas son prénom – après quarante ans de bons et loyaux services pour le mouvement gaulliste.

Au bout de la laisse, le chien de Daniel s'impatiente. Michel repart au guidon de sa mobylette, lève sa main gauche pour lui faire un dernier signe. Daniel le regarde s'éloigner vers la rue de Vaugirard, avec dans les sacoches de la mobylette les dizaines de souvenirs qu'ils ont partagés et qui ont façonné leur vie. Daniel consulte sa montre, jette sa cigarette dans le caniveau.

10

LA BIENVEILLANCE DES DIEUX

Si tu ne trouves pas d'ami sage, prêt à cheminer avec toi,
résolu, constant, marche seul, comme un roi après une
conquête ou un éléphant dans la forêt.

BOUDDHA

Seule la victoire est belle... Cette maxime, Jacques Chirac l'expérimente douloureusement comme perdant, puis comme vainqueur. Maintenant que le temps est passé, Jacques Chirac ne veut plus se souvenir que des belles choses, des bons moments. Une manière de réécrire l'histoire, de limer tous les angles obtus.

Les yeux dans le vague, le président se repose sur son transat, dans le petit jardin des Pinault rue de Tournon. Dans quelques jours, il partira pour le Maroc, ce pays qu'il aime tant. Le roi Mohammed VI lui ouvre, comme chaque année, les portes de son palais d'Agadir. Mais une fois encore, à la veille de son départ, la rumeur de sa mort vient frapper à sa porte. Le 31 juillet 2016, un site internet annonce que Jacques Chirac n'est plus de ce monde. Claude ne réagit pas. À quoi bon ! On s'affaire pour préparer au mieux ce voyage. Ces derniers mois, les visiteurs se sont faits de plus en plus rares. Le patriarche est seul. Les chiraquiens continuent leur vie, chacun de leur côté, ferraillent dans la campagne des primaires, les uns aux côtés de Nicolas Sarkozy, les autres pour Alain Juppé ou François Fillon. Il ne reste plus qu'un carré de fidèles qui soufflent sur les braises de la mémoire. Ils ne l'ont pas abandonné, mais ils n'ont plus la force de venir le voir, parce qu'ils veulent garder intacte l'image de Jacques Chirac du temps où il régnait, pas celle de cet homme qui doucement perd la tête. En désespoir de cause, ils l'ont déjà rangé dans leur boîte à souvenirs pour ne garder que son humour, ses rires, son humanité et sa façon bien à lui de faire de la politique. Ils sont aujourd'hui une poignée à venir le voir, à accepter l'évidence avec dignité, avec amour. Les autres pensent à lui de loin ou de temps en temps, n'osent plus pousser la porte, effrayés à l'idée de ce qu'ils vont découvrir derrière. Ils l'ont connu sans vraiment le connaître et ne veulent se souvenir que des belles choses, comme de cette victoire inattendue de 1995 où Jacques Chirac devient, après deux tentatives, en 1981 et 1988, le cinquième président de la Cinquième République, tout un symbole. Seul contre tous, à l'image de Jeanne d'Arc qui avec une poignée d'écuyers bouta les Anglais hors du royaume de France.

Mais ce que ses fidèles n'ont jamais su, c'est que Jacques Chirac puisait sa force dans des énergies venues d'ailleurs et qui depuis des décennies guident ses choix, façonnent sa façon de faire de la politique. Un an avant les élections de mai 1995, au début de l'année 1994, les forces de l'esprit, celles qu'aimait tant François Mitterrand, lui envoient des signaux qui contredisent les sondages.

En janvier 1994, ce jour-là, au domicile de Jacques Kerchache, on est entre amis, des moments intimes où l'on n'a rien à craindre, où la parole est libre. Ce qui anime alors les conversations, c'est l'élection présidentielle, qui s'annonce bien mal pour son ami Chirac qu'il voudrait aider. À l'époque, tous les médias sont unanimes, il faudrait un miracle pour que le maire de Paris devienne le prochain président de la République.

Jacques Kerchache se lève alors, montre du doigt un impressionnant objet vaudou qui décore son salon et s'exclame : «Tous sont en état d'alerte, que personne ne s'inquiète, Chirac sera élu.» Personne n'ose répondre, mais Jacques Chirac a bien enregistré le message. Il connaît la puissance et le pouvoir de chacun de ces objets, il en pressent le danger et la force. À peine les Chirac ont-ils quitté le domicile de leurs amis qu'Anne, l'épouse de Kerchache, interpelle son mari : «Tu es sûr de ce que tu as prédit à Jacques ce soir ? Tu imagines qu'il perde les élections ?» Et son mari de répondre : «Je n'ai aucun doute, il sera le prochain président de la République[1].»

Ce soir-là, la phrase de Jacques Kerchache lui donne la force de poursuivre, de tout donner et d'aller puiser l'énergie partout où elle se trouve, de l'Afrique à l'Asie. Un être déchiré entre ses deux pôles, le doute et l'action. Parmi le carré de fidèles qui partagent cette aventure

1. Entretien de l'auteur avec Anne Kerchache, septembre 2016.

extraordinaire, il y a Jean-Louis Debré, témoin et acteur de cette victoire venue du ciel.

***

Jean-Louis Debré veut me montrer son nouvel espace de travail rue Aristide-Briand[1] depuis qu'il a quitté, en mars 2016, la présidence du Conseil constitutionnel. D'abord, il faut franchir l'accueil, où les huissiers continuent à l'appeler « monsieur le président », il faut ensuite arpenter un long couloir sinueux pour rejoindre le bureau situé à l'extrémité du bâtiment. Étonnante topographie, car le choix de son lieu de travail n'est pas anodin, il offre, en y regardant de près, une lecture psychanalytique de sa relation avec Jacques Chirac. Inconsciemment ou pas, il veille sur celui qu'il considère comme son père. À l'image de ce fils qui vient habiter avec celui qui compte le plus pour lui, pour partager ses ultimes moments... Il fait partie des intimes, les derniers à le visiter, à l'aimer comme il est. À souffrir à sa place.

Quand il m'ouvre sa porte, il est en pleine promotion de son dernier livre, *Ce que je ne pouvais pas dire*[2]. Libre de parole, il balance, dévoile, au compte-gouttes, ses petits secrets. Il révèle au grand jour ses relations tendues avec Nicolas Sarkozy, une sorte de mise au point sans concession. Un livre en forme de carnet, car Jean-Louis Debré écrit beaucoup, note tout scrupuleusement, tel un scribe consciencieux, gardien de la mémoire de Jacques Chirac et plus largement de la vie politique des trente

---

1. Locaux de l'Assemblée nationale, annexe du Palais-Bourbon. Une « grande ruche » d'élus de second rang qui n'ont pas le privilège d'être au Palais.
2. Publié en 2016 chez Robert Laffont.

dernières années. On découvre au jour le jour les coulisses, parfois peu reluisantes, du monde politique. Mais Jean-Louis Debré n'a pas encore tout dit. Il a encore dans ses cartons des notes, des anecdotes, des secrets petits ou grands qu'il s'est promis de publier un jour, à condition d'avoir l'autorisation de Jacques Chirac : «Je lui ai montré ce que je comptais publier. Il a hésité et m'a demandé finalement de ne pas le faire, et d'attendre[1].» Nous n'en saurons pas plus sur le contenu de ce brûlot qui va dormir quelque temps encore dans l'armoire de son bureau. Alors, à la place, il raconte des anecdotes qu'il enfile comme des jolies perles. Une liste divertissante, qui prouve à quel point Jacques Chirac s'amusait de la vie, joyeux et un brin provocateur.

Les deux hommes ne se sont jamais quittés. En 1973, à vingt-neuf ans, après un parcours scolaire chaotique, le jeune Debré intègre le cabinet de Jacques Chirac, alors tout jeune ministre de l'Agriculture. Vingt-deux ans plus tard, Jacques Chirac le choisit pour devenir ministre de l'Intérieur. Quelques jours avant, le soir de la victoire, le 7 mai 1995, le président est à la fenêtre de son QG de campagne, avenue d'Iéna, pour saluer la foule lorsqu'il demande : «Où est Jean-Louis ? Je veux qu'il vienne à mes côtés.» Ce soir-là, tout le monde voulait être sur la photo pour immortaliser ce moment d'histoire de France. Jean-Louis Debré garde cet instant intact dans sa mémoire.

Jean-Louis Debré parle lentement, marque un temps avant de répondre aux questions, comme s'il pesait chacun de ses mots, comme un réflexe venu des profondeurs de son être, par peur de se tromper, de trahir la pensée de

---

1. *Ibid.*

Jacques Chirac. Il se définit comme « son disciple », hésite un instant avec le mot « apôtre ». Il pose son regard au loin, je ne sais où, comme si en temps réel il cherchait à déchiffrer avec des mots le mystère Chirac. Soudain, son visage s'illumine, sa voix devient plus forte, la phrase jaillit comme une vérité trop longtemps enfouie, trouvant le chemin de la lumière : « Mais qui est Jacques Chirac au juste ? » Au fond, cette question, il se l'est toujours posée, comme un problème sans solution tant cet homme – qu'il aime par-dessus tout – est multiple et insaisissable. Tout le monde le connaît ou croit le connaître, à chacun il a offert une facette de son personnage, jamais entièrement dans la lumière, une partie de lui-même toujours dissimulée. « C'est un homme qui est à la recherche de lui-même, à la recherche de ce qu'il est. » Il fait partie de ceux qui le connaissent le mieux, parce qu'il l'a observé pendant toutes ces années, lui a tout donné avec un dévouement sans faille.

Jean Louis Debré est dans l'aventure de 1995, embarqué dans ce qui ressemble à une sorte de radeau de la Méduse. Aujourd'hui, il en sourit, sur le moment, il riait jaune. Nous sommes en décembre 1994, Jacques Chirac atterrit à Saint-Denis de La Réunion. Les parlementaires ont déjà presque tous rejoint le camp de Balladur. « Même l'évêque refuse de nous accueillir, alors qu'il est dans la tradition que les autorités religieuses reçoivent les candidats à l'élection présidentielle de passage, c'est vous dire que nous étions bien seuls[1]. » Il enchaîne les réunions, les meetings qui sont à moitié remplis, visite une bananeraie, les journaux s'amusent, se moquent, rien n'y fait. Jacques Chirac est

---

1. *Ibid.*

devenu une sorte d'animal blessé qui avec l'énergie du désespoir tente de faire face.

Au retour dans l'avion, Jean-Louis Debré ne peut s'empêcher, la question tombe :

« Monsieur, comment voyez-vous les choses ?

– C'est mal barré », lui répond Jacques Chirac.

Voilà les deux hommes gagnés par « la tentation de Venise ».

« Moi, je vais repartir dans la magistrature, j'irai dans un tribunal en Corse, là-bas, il fait beau, lui dit Jean-Louis Debré.

– Non, moi, j'ai un projet pour toi, tu vas monter une agence de voyages, toi, tu seras le patron et moi, je ferai des voyages », lui dit-il avec un large sourire.

L'avion n'a pas encore atterri à Paris que Jacques Chirac est reparti au combat, préparant sa stratégie pour faire mentir ce que ces satanés sondages lui prédisent. Voilà une autre facette du personnage, le combattant, celui qui ne plie pas, celui qui résiste et qui emmène ses troupes à la bataille, à la vie à la mort. Il est dans cette épreuve qu'il partage avec une poignée de grognards, comme le jeune sous-lieutenant pendant la guerre d'Algérie, « posé sur son piton », comme il aime le dire, faisant face à l'ennemi. La guerre d'Algérie a fait de lui un homme, la campagne de 1995 va faire de lui un président.

Quelques mois auparavant, il fausse compagnie à Jean-Louis Debré. En août 1994, en pleine campagne présidentielle, il s'envole, en toute discrétion, avec son épouse Bernadette se ressourcer en Asie. Dès le début de l'année 1994, il envisage de partir au Japon. Par trois fois, se souvient Jean-Louis Debré, il lui interdit ce voyage, hors de question de quitter la France pendant la campagne, les Français ne comprendraient pas ce voyage. Mais cette fois-ci, il ne peut pas l'empêcher. Officiellement, pour l'opinion publique, il prend du repos dans son château de Bity en Corrèze. Ils sont très peu nombreux à savoir que le candidat a quitté le territoire français. Un mois au pays du Soleil levant, un pays qu'il aime et qu'il connaît. Là-bas, le nom de Chirac est aussi célèbre que celui d'Alain Delon. Aucun Européen ne connaît aussi bien sa culture, son architecture, son théâtre. Un voyage qui va d'ailleurs lui attirer les pires ennuis. Quelques années plus tard, des juges d'instruction vont s'intéresser à la manière dont il a financé ce voyage.

Au cours de cet été, il aurait dû continuer à fendre la foule, à serrer des mains, à multiplier les meetings, occuper l'espace médiatique; il préfère prendre le large. Il choisit à cet instant le calme au tumulte. Que va-t-il donc chercher en se baladant sur les contreforts du mont Fuji ? Le sommet de ce volcan sacré culmine à trois mille sept cent soixante-seize mètres d'altitude. Cette montagne est vénérée par les bouddhistes et les shintoïstes qui la couvrent d'offrandes pour éteindre sa colère.

En levant la tête, Jacques Chirac peut apercevoir son cône brumeux qui se dévoile par intermittence, comme une fenêtre s'ouvrant vers l'au-delà. Chaque Japonais doit avoir fait au moins une fois l'ascension de cette montagne. Très régulièrement pendant son séjour, il marche sur ce sentier qui mène au sommet, médite dans les temples qui balisent ce parcours mystique. C'est bien plus qu'une randonnée, il part à chaque fois à la rencontre de la déesse Fuji, lovée, dit la légende, dans la gueule du cratère. Jacques Chirac marche sur le chemin de la sagesse, cherchant peut-être un signe venu des dieux pour lui indiquer la route qui mène à la victoire. Il est à cet instant un homme nu, cherchant à s'attirer les bonnes grâces des esprits qui l'observent parce qu'il croit profondément à leurs puissances souterraines. «Je sais que je vais gagner!» dit-il alors à son épouse. Il sait que, vu de France, ce voyage et sa symbolique n'ont aucune valeur, il le sait depuis longtemps, depuis qu'il arpente, gamin, les salles du musée Guimet. C'est depuis toujours son jardin secret, sa citadelle imprenable, son énergie vitale.

***

Frédéric de Saint-Sernin fait lui aussi partie des fidèles, des proches, des disciples, même si lui préférerait le terme d'«apôtre». Il fut d'abord conseiller sondages de Jacques Chirac lors de l'élection présidentielle de 1988, un de ses députés RPR de Dordogne, puis l'un de ses ministres. Lorsqu'il parle de Jacques Chirac, il dit, comme on déclare sa flamme: «Je l'aime d'amour[1]», ses yeux brillent, ses mains s'agitent quand il prononce cette phrase. En 1988, lorsqu'il intègre l'équipe de Jacques Chirac, il n'appartient pas au premier cercle, loin de là. Parce qu'il s'occupe des études, ausculte l'opinion, il est celui, au soir du second tour, chargé d'annoncer la mauvaise nouvelle au candidat. Une corvée à laquelle il se soumet. Jacques Chirac ne marque aucune émotion, comme s'il avait toujours su que son heure n'était pas arrivée, une sorte de fatalisme devant les événements. Avec la foi du charbonnier, Frédéric de Saint-Sernin a jusqu'au bout essayé d'y croire: «En mai 1988, il y avait eu la libération des otages du Liban, et puis l'affaire de la grotte d'Ouvéa en Nouvelle-Calédonie,

1. Entretien de l'auteur avec Frédéric de Saint-Sernin, avril 2016.

on y croyait, on pensait que cela provoquerait un sursaut de l'électorat, mais ça n'a pas suffi.»

Alors que François Mitterrand et Jacques Chirac, les deux finalistes, sont dans la bataille de l'entre-deux-tours, les trois otages, Jean-Paul Kauffmann, Marcel Carton et Marcel Fontaine, débarquent, à la surprise générale, le 5 mai 1988 à dix heures trente, à l'aéroport de Villacoublay, après trois ans de captivité. Sur le tarmac, le Premier ministre Jacques Chirac et Charles Pasqua, son ministre de l'Intérieur. Le soir même, un grand meeting place de la Concorde retransmet les images de leur libération sur grand écran. Le candidat Chirac espère pouvoir marquer des points sur François Mitterrand, empêtré au même moment dans l'affaire de la grotte d'Ouvéa.

Le 5 mai, à trois jours du second tour de l'élection présidentielle, le jour même de la libération des otages français du Liban, à plusieurs milliers de kilomètres de là, le président François Mitterrand autorise l'assaut de la grotte d'Ouvéa en Nouvelle-Calédonie. Dans cette grotte, depuis le mois d'avril, vingt gendarmes français étaient retenus en otage par des indépendantistes kanaks. Le premier assaut est donné à six heures quinze du matin heure locale. Un assaut qui se transforme en véritable massacre. Vingt et une personnes sont tuées, dont deux militaires. «Des militaires français achèvent à coups de bottes des indépendantistes kanaks», comme le révèle quelques années plus tard Michel Rocard. L'affaire fait grand bruit, mais pas assez pour faire basculer l'élection. François Mitterrand est réélu triomphalement le 8 mai 1988 avec 54,02 % des voix, Jacques Chirac ne recueille que 45,98 % des suffrages. Une cuisante défaite qui va l'obliger à revoir de fond en comble sa stratégie et son corpus idéologique. «Ce jour-là, c'est moi qui, par téléphone, lui annonce les résultats. Il écoute, ne marque aucune réaction, il encaisse sans rien dire[1].»

Frédéric de Saint-Sernin est catholique, le revendique. La belle histoire qu'il a tissée avec Jacques Chirac n'était pas écrite d'avance. Par-delà les apparences et cette particule qui est l'apanage, souvent factice, de ceux qui sont bien nés, c'est un aventurier lui aussi. Il le tient peut-être de son père, militaire de carrière. Il a combattu et s'est illustré à Diên Biên Phu en Indochine pour finalement tout plaquer par amour pour sa mère. Le jeune Saint-Sernin baigne dans l'antigaullisme dès sa plus tendre enfance. Lui aussi, à sa manière, est un baroudeur, a traversé une multitude d'univers : le monde de l'entreprise, la politique, le sport, en dirigeant le club de football de Rennes pour le compte de François Pinault. Aujourd'hui, il s'investit dans l'humanitaire, à la tête de Care, une ONG implantée à tous les endroits du globe où le monde brûle, souffre, se déchire. Du bout des lèvres, comme un voyage intérieur remontant lentement à la surface, il raconte sa jeunesse, ses errances, sa haine contre le gaullisme, qu'il a portée comme une conviction inaltérable et qui s'est dissoute au contact de Jacques, de celui qui allait changer sa vie.

En 1977, il fréquente un groupe d'activistes qui projette de faire un attentat en jetant des cocktails Molotov contre Jacques Chirac en meeting à Paris. Sorte de geste de bravoure, bercé de romantisme libertaire, pour faire taire ces héritiers du gaullisme qu'il considère à l'époque comme le danger ultime. Le projet avorte. Ce soir-là, Jacques Chirac fait salle comble. Frédéric de Saint-Sernin raconte

---

1. *Ibid.*

ce moment, comme pour mieux renforcer sa trajectoire vers l'astre Chirac. Il est comme une météorite, zigzaguant vers le noyau dur qu'il a combattu de toutes ses forces et qu'il va finir par aimer.

Quand, en 1988, il devient le conseiller sondages du président, il repense forcément à ses vingt ans, à sa jeunesse pleine de fougue, à sa tentative d'attentat contre celui qui allait devenir au fil du temps « un père de substitution ». Il se dit sûrement que la vie n'est jamais écrite d'avance et que le destin est un bien drôle de mot.

En 1995, le voilà donc embarqué une nouvelle fois dans l'aventure présidentielle. Il n'a pas choisi le bon camp, ce n'est pas lui qui le dit, mais les chiffres qui s'affichent sur l'écran de son ordinateur. Lui qui vient du marketing dispose pour cette campagne de nouveaux outils performants pour sonder l'opinion en temps réel, une arme redoutable et qui n'augure rien de bon pour Jacques Chirac. Les sondages le donnent perdant.

Il se souvient dans les moindres détails de son rendez-vous à l'automne 1994 avec Jacques Chirac à l'Hôtel de Ville. Le maire de Paris n'a pas encore déclaré sa candidature. Il hésite, faut-il le faire le plus tard possible, en janvier 1995 par exemple, ou le plus tôt possible, comme le lui glissent des proches, pour prendre de vitesse Édouard Balladur car plus il laisse passer de temps, plus la campagne risque de lui échapper ?

Ce jour-là, c'est donc une réunion de travail en tête à tête avec le candidat Chirac. Elles sont rares. Une séance pour analyser les sondages, qui ne sont décidément pas bons. Sous forme d'histogramme, ou de graphiques colorés, s'affiche la chronique d'une défaite annoncée. Balladur plaît aux Français, dans son rôle de politique affairé aux tâches quotidiennes que lui impose sa fonction de Premier ministre. Depuis janvier 1994, Édouard Balladur est le favori des études d'opinion. Jacques Chirac est à la traîne. Novembre 1994, Édouard Balladur est crédité de 30 % d'opinions favorables, Jacques Chirac peine à atteindre les 15 %. L'ami de trente ans a choisi de partir seul, abandonnant Jacques Chirac sur le quai. S'engage alors une bataille sans merci entre les deux hommes. Édouard Balladur l'a non seulement trahi, mais il est surtout sur le point de le battre dans les urnes.

Frédéric de Saint-Sernin est assis devant Jacques Chirac. Il n'est plus le second couteau de la campagne de 1988. Là, il est le patron des sondages, c'est lui le pilote. Rationnellement, à cet instant, il le sait, la bataille est perdue : « Mais j'ai en face de moi un homme qui me répète, sans rien vouloir entendre à mes chiffres et à mes projections, qu'"on va gagner", il est comme habité[1]. » Il le répète plusieurs fois pendant l'entretien, devant un Frédéric de Saint-Sernin médusé. Il lui demande déjà de réfléchir à l'après, à ce qu'il va falloir faire lorsqu'il sera élu. Il est bien le seul à croire en sa victoire car tous les vents sont contraires. En sortant du bureau, le monsieur sondages se met à y croire lui aussi.

Parmi les grognards, il y a le jeune François Baroin. Il est le porte-parole de la campagne de Jacques Chirac. Avec Frédéric de Saint-Sernin et une poignée de parlementaires, ils partent alors au combat. Une sorte de montagne himalayenne, qu'ils grimpent au culot et à l'énergie.

En janvier 1995, la bataille semble pourtant perdue. Édouard Balladur caracole toujours en tête, loin devant, et

---

1. *Ibid.*

rien ne semble l'arrêter. D'autant que, le 19 janvier, Jacques Chirac doit subir une nouvelle trahison. Nicolas Sarkozy, son protégé, l'ami de la famille, devient le porte-parole de la campagne d'Édouard Balladur. C'est un coup terrible que doit encaisser Jacques Chirac. La politique sans âme, égale à elle-même, médiocre et rabougrie.

Mais cette campagne de 1995 incarne aussi une autre histoire moins prosaïque, peut-être plus mystique et plus évanescente. Comme si, à travers ce combat, toutes les facettes de la vie de Jacques Chirac entraient en résonance, se répondaient, formant une sorte de bouclier protecteur qui allait lui donner la force nécessaire pour le faire gagner. L'Afrique, l'Asie, l'ésotérisme, toutes ces forces qui échappent aux logiques du langage et aux tableaux de chiffres et sur lesquelles Jacques Chirac s'appuie parce qu'il y croit, parce que, depuis son adolescence, il arpente les allées du musée Guimet, parce qu'il est intarissable sur les Dogons, leur civilisation, leurs sculptures incarnant la maternité, parce qu'il croit en leurs forces et leurs pouvoirs. Il aime et se passionne pour l'Asie, sa culture, son art et son raffinement, les combats de sumo et leur puissance subtile, exhalant une mystique réservée aux initiés.

La presse, à l'époque, l'a souvent caricaturé à l'extrême, incapable comme la plupart de ses proches de décrypter la symbolique que dégageait le duel de deux colosses ventrus. Jacques Chirac tente de faire partager sa passion à ceux qu'ils aiment. Jean-Louis Debré sera invité réguliè-rement le dimanche après-midi à l'Élysée pour regarder avec le président des combats de sumo à la télévision. Ce qui ne l'amuse pas vraiment. Il n'y comprend rien et doit même montrer son agacement pour que Jacques consente à changer de chaîne. Une autre fois, avec François

Baroin – celui qu'il considère comme son fils –, alors qu'ils regardent ensemble un combat, Jacques Chirac lui explique comment il sait à l'avance qui va gagner le duel. Le vainqueur est «celui qui a la plus grande intensité dans le regard», message subliminal pour lui dire que les grandes batailles se jouent dans l'invisible, l'impalpable, au-dessus de nos têtes.

Tout cela vu d'Occident ressemble à un bric-à-brac ésotérique. Jacques Chirac a vécu parmi les hommes modernes et a su s'accommoder avec ce monde où seuls les titres, les étiquettes et les apparences ont de l'importance. Devant l'objectif d'un photographe de *Paris Match*, il a enfilé le costume de l'énarque, jouant le grand bourgeois, emmitouflé dans un gilet grosses côtes en laine beige, assis au coin du feu, dans le salon de son château corrézien, pour convaincre les Français qu'il était de leur monde. Il a été un requin redoutable, combattant infatigable, lâché dans les eaux troubles du pouvoir, faisant «le job» comme si de rien n'était.

Mais chez Jacques Chirac, il y a les apparences et le moi profond, et il ne les confond jamais. En février, alors que les courbes des sondages ne se sont pas encore inversées avec Édouard Balladur et que la victoire reste incertaine, il croise Henri Salvand, un ami corrézien, une vieille connaissance, ancien conseiller général RPR du canton de Meyssac. Il est aussi connu en Corrèze et dans toute la région pour ses pouvoirs de sourcier. «Je me souviens de ces mots qui m'ont frappée. Il m'a dit de ne pas m'inquiéter, que Jacques Chirac allait être élu en mai 1995, tous les astres étaient convergents[1].» Deux jours avant le premier tour de la

---

1. Entretien de l'auteur avec Françoise Béziat, septembre 2016.

présidentielle, vendredi 21 avril 1995, Jacques Chirac est à Ussel, sur ses terres corréziennes, celles qui lui ont toujours porté chance. Le soir, il doit tenir son dernier meeting de campagne mais, avant, il a décidé de rencontrer les salariés et les pensionnaires d'un des centres pour personnes handicapées qu'il a fondés dans les années 1970.

Après avoir partagé de longs instants avec les enfants handicapés du centre de Sornac, il trinque, à la bonne franquette, avec le personnel. Tout le monde est ravi, leur Chirac n'a pas changé, ils le retrouvent tel qu'il était lorsqu'il était le jeune député de Corrèze. Une bière à la main, Jacques Chirac s'étonne de ne pas voir Éliane. Éliane Guillemot est la fille du maire communiste de Sornac[1]. Il l'a connue enfant et réclame sa présence. Toutes affaires cessantes. On prévient alors Éliane, qui ne tarde pas à arriver. Jacques Chirac la serre dans ses bras et l'embrasse comme du bon pain : « Il lui a pris les deux mains, lui a demandé ce qu'elle faisait dans le centre, quelle était sa fonction. Il était heureux de la voir : "Il faut continuer, tu vas devenir directrice", en la regardant intensément[2]. » Quelques instants de bonheur simple avec cette femme pour se souvenir que, trente ans plus tôt, il avait réussi à convaincre son communiste de père de voter pour lui, de soutenir un candidat de l'autre bord, ce qui à l'époque n'était pas sans risque. Place du Colonel-Fabien[3] on avait peu apprécié ce ralliement, on l'avait menacé de lui envoyer deux gros bras venus de Paris pour lui faire passer le goût

---

1. Pour remercier le maire de Sornac de son soutien politique, Jacques Chirac a fait entrer Éliane, sa fille, dans le centre de Sornac dont elle deviendra éducatrice spécialisée.
2. Entretien de l'auteur avec Françoise Béziat, septembre 2016.
3. Siège du Parti communiste français.

de la trahison. Le candidat s'est engouffré dans sa berline, sortant sa longue *main* par la vitre grande ouverte pour leur offrir, en avant-première, ce qu'ils allaient découvrir sur leur écran de télévision quinze jours plus tard, le 7 mai 1995, «leur Jacques Chirac à eux» sillonnant les rues de Paris, élu vingt-deuxième président de la République.

Ce soir-là, assis aux côtés de Bernadette, il traverse Paris, escorté par deux motards et une cohorte de journalistes à moto. Sa *main* est sortie. Elle s'agite, fait de drôles d'arabesques dans la nuit parisienne, on ne voit qu'elle, elle est l'étendard de sa victoire. La voiture fait plusieurs kilomètres dans les rues de Paris, ne s'arrête pas sur la place de la Concorde, rejoint le boulevard Saint-Germain et tourne à droite rue de Tournon.

On aperçoit alors Bernadette qui descend de la voiture, encadrée par des hommes de sécurité, pris de court par cet arrêt inopiné. La première dame est attendue chez ses amis, les Pinault, qui ont organisé une petite réception avec quelques autres amis dans leur somptueux hôtel particulier. Bernadette est raide dans son tailleur clair, déjà entrée dans son rôle de première dame. Son mari a encore «filé», pas le temps de s'arrêter, le président élu a rendez-vous avenue d'Iéna, avec ceux qui l'ont accompagné vers la victoire. Un journaliste lui tend son micro, elle fait mine de ne pas le voir, sonne et referme la porte derrière elle, tout à sa joie intérieure et sa fierté qu'elle cache avec une pointe de mépris. Vingt et un ans plus tard, c'est ici que le couple termine sa vie. Ils ne font plus claquer les coupes de champagne, l'heure n'est plus à la joie et aux rires. Ici, dans cette prison dorée, ils passent le temps comme ils peuvent, chacun de leur côté dans leur chambre.

Ce matin, Daniel tient la *main* du président. Il continue à préserver ce lien en lui prodiguant tout l'amour qu'il peut, à l'affût du moindre signe, du moindre indice prouvant que son état de santé ne se dégrade pas. Chaque soir ou presque, il s'amuse à lui glisser cette petite phrase rituelle : « Président, la nuit vient de tomber », et d'attendre, fébrile, sa réponse : « J'espère qu'elle ne s'est pas fait trop mal... » Daniel sourit. Parce que cette petite réplique est un peu comme un thermomètre indiquant qu'il est en bonne santé, prouvant que le président est encore dans le présent. Tant qu'il peut répondre, quel que soit le délai entre la question et la réponse, cela veut dire qu'il garde des moments de conscience et que la vie ne l'a pas quitté. L'amitié qui unit ces deux hommes est indicible. Daniel lui donne la force de continuer, il aimerait pouvoir échanger avec lui sur les grandes questions qui taraudent les êtres humains, la mort, l'au-delà, aimerait tant l'entendre parler de sa vie intérieure si riche, si secrète...

La fin de vie de Jacques Chirac est diamétralement à l'opposé de celle de François Mitterrand. Malgré le cancer, qui l'obligeait parfois à recevoir ses hôtes allongé sur une méridienne dans son bureau de l'avenue Frédéric-Le-Play, François Mitterrand continua à penser, l'esprit clair, jamais avare d'un petit coup de griffe, d'un mot d'esprit. Quelques jours avant sa mort, il décide, contre l'avis de ses médecins, de faire un dernier voyage en Égypte, à Assouan, une ville qu'il connaît si bien. Le président, Anne Pingeot et leur fille Mazarine descendent au Old Cataract. Leur suite au premier étage est prolongée par une immense terrasse arborée plongeant sur les rives du Nil, son dernier voyage chez les vivants à la rencontre des mystères de la métempsycose, cette croyance selon laquelle une même âme peut animer successivement plusieurs corps d'humains, d'animaux ou même de végétaux. Un séjour en forme d'ultimes adieux, le dernier privilège que lui offre la vie avant le grand voyage.

Jacques Chirac, lui, est immobile, seul au monde, alors que le mouvement et l'action ont été les moteurs de sa vie. Lui qui aime tant la liberté est aujourd'hui enfermé vivant dans un monde de plus en plus inaccessible. Cette année, pour les vacances d'hiver, il ne goûtera pas aux senteurs du palais d'Agadir dans lequel il aime tant se reposer. Il ne regardera pas le soleil se coucher derrière la casbah, laissant ses derniers rayons miroiter sur d'immenses lettres de l'alphabet arabe accrochées à flanc de cette colline pelée, où est écrit «Dieu, la Patrie, le Roi». Des lettres monumentales qui chaque soir, devant ses yeux d'enfant, se drapent de noir pour renaître flamboyantes le lendemain, au lever du jour.

Daniel est là, toujours. Mais cela ne remplace pas les douceurs du soleil sur sa peau, le bruit des vagues, le cri des mouettes lorsque le soleil sort de son sommeil, l'odeur des sardines qui frémissent en cuisine.

11

LES FORCES DE L'ESPRIT

La mort peut faire qu'un être devienne ce qu'il était appelé à devenir, elle peut être au plein sens du terme un accomplissement. Et puis, n'y a-t-il pas en l'homme une part d'éternité, quelque chose que la mort met au monde, fait naître ailleurs ?

FRANÇOIS MITTERRAND [1]

17 mai 1995. Dans le salon d'honneur de l'Élysée, Roland Dumas, un proche de François Mitterrand, adoube celui contre lequel il s'est battu avec acharnement pendant trente ans, sous le regard penaud d'Édouard Balladur arborant le masque de la défaite. Deux fauves de la politique, qui ont connu les affres de la défaite, et

---

1. Préface de *La Mort intime*, de Marie de Hennezel, Laffont, 2001.

qui en des temps différents ont traversé les vicissitudes du pouvoir, celui que l'on quitte, celui que l'on embrasse pour la première fois.

Jacques Chirac, le nouveau locataire de l'Élysée, descend le tapis rouge avec beaucoup de précautions ; François Mitterrand, malade, fatigué, fait front. Il descend, le dos droit, les quelques marches qu'il a façonnées de ses pas, il laisse derrière lui quatorze ans de pouvoir. Quelques minutes auparavant, l'homme aux deux septennats était assis avec Jean d'Ormesson, devisant sur la vie, sur le pouvoir, sur le temps qui passe. Puis il a bien fallu affronter la lumière et vivre ces derniers instants présidentiels, accepter de voir le soleil se coucher derrière les façades de ce palais offert à la Pompadour.

Dans la cour de l'Élysée, ils sont peu à avoir remarqué ce geste de François Mitterrand, insignifiant, subreptice, juste un petit mouvement de la main accompagné d'un imperceptible rictus, pour indiquer au nouveau président qu'il était capable de rejoindre seul sa voiture, invitant poliment Jacques Chirac à lui tendre sa longue *main* en bas des marches. François Mitterrand, le teint pâle, le crâne orné d'une tonsure grise tirant vers le blanc, a l'air soulagé. Il se tourne vers les photographes, sa main dans celle de Jacques Chirac, d'interminables secondes pour immortaliser cette scène qui va rejoindre les livres d'histoire. Le rideau est tombé. Fin de la bataille entre les deux ennemis de la Cinquième République qui se sont affrontés devant les caméras de télévision et en coulisses.

Tous les deux ont connu la cohabitation, celle de 1986. Ils ont croisé le fer pendant la campagne de 1988, qui fut féroce et acharnée. Jacques Chirac l'exaspère, il bouge trop, parle trop, prend trop la lumière. Les mots de François

Mitterrand furent méprisants parfois, cinglants souvent. «Il pense comme il monte les escaliers, il parle comme il serre des mains, il devrait prendre le temps de s'asseoir[1].» Des mots comme des gifles au visage de ce prétendant au trône, à qui il ne reconnaît aucune qualité d'homme d'État. Voilà pour l'histoire officielle. Mais la relation entre ces deux monstres de la politique est beaucoup plus subtile qu'il n'y paraît et va évoluer au fil du temps...

Au milieu de cette grande cour gravillonnée, encerclée par la garde républicaine, Jacques Chirac sait ce qu'il doit à François Mitterrand. Car, au-delà de la fabuleuse campagne de 1995, le candidat de la droite qui avait déjà échoué par deux fois à l'élection présidentielle a bénéficié du soutien de François Mitterrand, qui avait choisi cette fois son candidat. Pas question d'aider Édouard Balladur, ce «marquis poudré» qui exaspère au plus haut point le président de la République. Anne Lauvergeon, sherpa du président, celle qui avait son bureau le plus proche de «Dieu», sa «favorite» comme l'appelaient les jaloux, avait d'ailleurs été envoyée comme *missus dominicus* auprès des chiraquiens.

Nous sommes au début de l'automne 1994. François Mitterrand, en fin tacticien, veut faire passer un message urgent au candidat Chirac par l'intermédiaire d'Anne Lauvergeon: «Il fallait que Jacques Chirac annonce le plus vite possible sa candidature parce que s'il attendait trop longtemps, il serait très difficile de battre Édouard Balladur, qui caracolait loin devant[2]...» Voilà l'analyse de François

---

1. *L'Élysée, histoire d'un palais*, de Georges Poisson, Pygmalion, département de Flammarion, mars 2010.
2. Entretien de l'auteur avec Anne Lauvergeon, mars 2016.

Mitterrand. Commencent alors de bien étranges tractations en coulisses. En toute discrétion la « mitterrandie » se met au service de Jacques Chirac contre Édouard Balladur, dont la carrière politique et l'ascension ne sont liées qu'au bon vouloir de Jacques Chirac.

Tout cela est fait dans le plus grand secret. Quelques semaines auparavant, le 25 août 1994, Jacques Chirac, Édouard Balladur et François Mitterrand se retrouvent à l'hôtel de ville de Paris pour commémorer les cinquante ans de la libération de Paris. Édouard Balladur est rapidement mis à l'écart, entouré de toutes les personnalités politiques du moment, le temps que les deux hommes signent les parapheurs officiels et échangent quelques mots dans le bureau du maire de Paris. Des minutes longues comme des heures pour Édouard Balladur cloué sur son gros fauteuil capitonné, posé sur le parvis de l'Hôtel de Ville.

Que se disent-ils à cet instant ? La légende veut que, ce jour-là, François Mitterrand, dans le secret du bureau, « l'adoube[1] » en lui chuchotant ces mots : « Présentez-vous ! » Le candidat Chirac l'écoute et annonce opportunément sa candidature le 4 novembre, jour de la Saint-Charles, dans un entretien à la *Voix du Nord*[2]. Dans les colonnes du quotidien, le président du RPR justifie son annonce par la volonté de « clarifier » la situation politique. Édouard Balladur est pris de vitesse.

Comme François Mitterrand, Jacques Chirac a échoué deux fois à l'élection présidentielle avant de la remporter, en 1995. Comme François Mitterrand, il a connu les

---

1. Entretien de l'auteur avec Jean-Louis Debré, juin 2016.
2. Quotidien régional édité à Lille, là où cent quinze ans auparavant naissait Charles de Gaulle.

LES FORCES DE L'ESPRIT

lendemains de défaite, a appris à survivre dans le marigot politique. L'un et l'autre ont créé leur parti, ont manœuvré, exécuté les rivaux, ils sont faits du même bois. Anne Lauvergeon le tient de la bouche de Bernadette Chirac avec qui elle entretient de bons rapports : « Elle me l'a dit aussi simplement que cela : "La victoire de mon mari doit beaucoup à François Mitterrand[1]." » Comme si, jusqu'au bout, il avait voulu garder le contrôle du destin de la France en transmettant les clés du pays à celui qu'il avait en quelque sorte choisi.

Quelle étrange trajectoire que celle de ces deux hommes. L'un se revendiquait de gauche, voulant incarner le mouvement et la réforme en donnant l'impression d'être immobile, l'autre était censé représenter la droite et des valeurs conservatrices, mais se fera élire en 1995 sur un thème de gauche : la fracture sociale. L'un part de la droite pour conquérir la gauche, l'autre flirte avec le communisme pour porter au sommet les valeurs du gaullisme qu'il s'est appropriées opportunément et qu'il utilisera au gré de ses changements de cap politique. L'un ne pense qu'à ce qu'il va laisser pour la postérité, l'autre n'accorde que peu de place à sa personne, donne le sentiment de jouer avec la vie, de s'en amuser presque, avec cette façon très détachée de regarder son parcours, de ne jamais tomber dans le piège de la vanité, imprégné de cette philosophie chinoise qui semble avoir guidé ses pas tout au long de sa vie.

Mais, au-delà des différences, passés les joutes verbales et les petits mensonges de campagne, oubliée la violence du combat politique, les deux hommes ont en partage une sorte de patrimoine mystique. Le mépris et la détestation

---

1. Entretien de l'auteur avec Anne Lauvergeon, mars 2016.

225

se sont avec le temps doucement patinés, pour ne faire émerger que ce qui les unit.

***

À première vue, ils n'ont pas exactement les mêmes passions, leur jardin secret n'est pas composé des mêmes essences, mais l'esprit est le même. Pour Jacques Chirac, ce sont les arts primitifs ; pour François Mitterrand, la passion de la littérature qui révèle, à travers la puissance des mots, la vérité du monde. Mais, au fond, ces deux êtres sont «habités», pour ne pas dire obnubilés, par le mystère de la mort et de l'au-delà. Une quête permanente, insatiable. C'est aujourd'hui de notoriété publique, François Mitterrand n'hésite pas à consulter des voyantes pour prendre une décision importante. Élisabeth Tessier, la plus célèbre d'entre elles, est aussi la plus bavarde. Le président la questionne sur tout, sur le choix de la date du référendum de Maastricht par exemple ou sur d'autres sujets de la même importance, comme s'il dirigeait la France avec des cartes de tarot.

Jacques Chirac consulte lui aussi. En toute discrétion, il se fait régulièrement déposer chez une voyante africaine installée dans le 4e arrondissement de Paris. Une parmi tant d'autres. Mais cette curiosité pour l'ésotérisme, les sciences occultes, le pousse bien au-delà des rivages de la simple prédiction. Tous les deux prennent le large pour percer l'infini mystère du monde. Secrètement, ils cherchent à savoir ce qui se passe après le dernier souffle...

Ont-ils abusé de ce pouvoir ? L'Afrique de l'Ouest est le «pré carré» de la France, mais cette terre, magique et tellurique, leur a peut-être apporté des réponses à leur questionnement intérieur. Ce continent est le berceau de l'ésotérisme, de la sorcellerie, de l'animisme et du vaudou dont le foyer originel se trouve au Bénin. Là-bas, le vent, la terre, les pierres possèdent une âme et une force vitale. Une terre que les deux hommes auront labourée, pas seulement pour faire germer leurs campagnes électorales, mais pour en extraire une sève puissante. Beaucoup de rumeurs ont accrédité cette passion pour les rites mystiques sans la confirmer. Une rumeur pour le moins mystique circule concernant Valéry Giscard d'Estaing. En 1981, Jacques Chirac aurait « marabouté » son rival de droite, l'empêchant de défendre ses chances face à François Mitterrand. Pas de preuve tangible, pas de document pour accréditer cette thèse. Un autre jour, un élu[1], fin connaisseur de l'Afrique, me raconte que dans les années 1970, alors qu'ils sont en voyage diplomatique, Jacques Chirac lui aurait proposé de participer à une initiation en présence de sorciers. Il déclinera l'invitation et laissera le maire de Paris y aller seul. Denis Tillinac se souvient : « Je fus le représentant personnel du président de la République au Conseil permanent de la francophonie. À chacun de nos déplacements dans le cadre du Mouvement pour la francophonie que je présidais, il était toujours intéressé par l'ésotérisme, toutes ces choses si loin de nous, lui, ça le passionnait vraiment[2]. »

Jacques Chirac et François Mitterrand aiment aussi tous les deux la nature et ses terroirs, dont ils se sont servis, plus que de raison, comme d'une arme politique, contre les élites parisiennes, les énarques, qui ne savent pas faire la différence entre un coq et un dindon. Ils surent habilement

---

1. Entretien de l'auteur avec un élu qui a souhaité garder l'anonymat, février 2016.
2. Entretien de l'auteur avec Denis Tillinac, août 2016.

tisser un récit opposant la ville, porteuse de modernité et de déviances, à la campagne, incarnation de la solidité et de l'enracinement. Mais, derrière ces calculs électoraux, ils célébrèrent à leur manière cette terre nourricière, dont ils ressentaient la force mystérieuse.

***

En mai 1995, Jacques Chirac, tout nouveau président de la République, ne va pas immédiatement habiter le palais de l'Élysée. Il préfère le confort de son vaste appartement de l'hôtel de ville de Paris. La plupart de ses prédécesseurs ont fait le grand ménage en arrivant à l'Élysée ; surtout ne laisser aucune trace du locataire précédent pour se faire croire que l'on est le premier, l'unique, pour ne pas dire l'éternel. Or, Jacques Chirac fait exactement l'inverse, se souvient Anne Lauvergeon : « Il a demandé qu'on ne touche à rien des appartements privés de François Mitterrand, parce qu'il pensait que son âme planait en ces lieux. » Le président pousse ses exigences mystiques à l'extrême : « Lorsqu'il fut question de changer le carrelage abîmé, le président refusa parce que les rayures sur ces dalles noires et blanches avaient été faites par les chaussures de golf de François Mitterrand[1]. »

Sept mois après la victoire, les Chirac s'installent enfin dans le palais. Le président exige que l'on ne touche à rien de ce qui a appartenu ou a été touché par François Mitterrand, au risque de réveiller les mauvais esprits, une sorte d'animisme revisité par le président de la République. De petits signes qui laissent sans voix ceux qui observent la scène.

---

1. Entretien de l'auteur avec Anne Lauvergeon, mars 2016.

Après la violence de la vie politique, une fois élu, Jacques Chirac décide alors de marcher dans les pas de François Mitterrand. Car secrètement, sous le vernis de la carapace politique, il s'est toujours senti inférieur à François Mitterrand, un peu comme un fils devant son père. Il admirait en lui le stratège mais aussi le fin lettré. Malgré son parcours éblouissant – plusieurs fois ministre, deux fois chef de gouvernement, maire de Paris, président de la République durant deux mandats successifs –, il est d'une grande humilité, poussée parfois à l'extrême.

Anne Lauvergeon garde en mémoire cette scène, qui des années plus tard continue à la faire sourire. Nous sommes dans les premiers mois de pouvoir du président Chirac: «À peine entrée dans son bureau, la première chose qu'il m'a demandée, ce sont des nouvelles de François Mitterrand dont l'état de santé s'était dégradé. "À chacun de mes déplacements à l'étranger, les chefs d'État me demandent des nouvelles du président Mitterrand. Vous pensez que lorsque je ne serai plus président, on demandera autant de mes nouvelles?"» Anne Lauvergeon, un peu embarrassée, lui répond cette phrase toute faite: «Mais vous êtes un grand président. — Vous êtes aimable, "grand président", surtout par la taille[1]», rétorque Jacques Chirac sur un ton amusé, toujours prompt à se faire plus petit qu'il ne l'est.

Un fil invisible relie les deux hommes. Il y a quelque chose de sacré dans cette relation, voire d'irrationnel, faisant appel aux forces invisibles bien plus qu'au monde tangible et matérialiste. Que fait Jacques Chirac le soir du 31 décembre 1994, à quoi pense-t-il lorsque le président de la République présente les derniers vœux de son

---

1. *Ibid.*

septennat aux Français, le visage marqué par la maladie ? Le président François Mitterrand conclut son intervention par cette phrase crépusculaire entrée dans l'histoire : « Mes chers compatriotes, je crois aux forces de l'esprit et je ne vous quitterai pas. » Une phrase qui d'ailleurs a failli ne jamais figurer dans son discours, biffée par ses conseillers qui la jugeaient trop ésotérique, puis finalement ajoutée à la dernière minute. Cette sentence, Jacques Chirac l'a ressentie au plus profond de lui.

Après dix ans de combat contre le cancer, François Mitterrand s'éteint le 8 janvier 1996 à son domicile, mis à sa disposition après son départ de l'Élysée au 9, rue Frédéric-Le-Play. Il est huit heures trente du matin. Vers dix heures, Jacques Chirac s'incline devant la dépouille de son prédécesseur. Ce matin-là, il devait présenter ses vœux à la presse, qui sont reportés d'une semaine. De retour à l'Élysée, Jacques Chirac confirme la nouvelle : « Le président François Mitterrand nous a quittés ce matin. Je viens à l'instant de le saluer une dernière fois. Je viens aussi d'exprimer à sa famille mes condoléances et celles de la nation », annonce-t-il, le visage grave. Ce 8 janvier 1996 à vingt heures, le président de la République prend la parole à la télévision pour rendre un vibrant hommage à l'ancien président. Un discours empreint d'émotion, mêlant finesse et profondeur. « François Mitterrand est une œuvre, dit-il. François Mitterrand, c'est aussi une volonté », poursuit le chef de l'État. Certains conseillers lui proposent de glisser quelques coups de griffe à son prédécesseur. Jacques Chirac n'en fera rien, il brosse un portrait élogieux, à la hauteur de sa tristesse et du respect profond qu'il porte à cette personnalité qu'il considère comme un homme d'État. « Il a appris, dit-il droit dans les yeux des Français, à dépasser la somme des préjugés et d'idées souvent sommaires et caricaturales» que les adversaires ou rivaux de François Mitterrand «se sont ingéniés à fabriquer» à son sujet. Le temps est passé par là, comme si Jacques Chirac voulait poursuivre, dans l'au-delà, le dialogue avec le défunt, entamé dans le monde des vivants. «Mais François Mitterrand n'est pas réductible à son parcours. S'il débordait sa vie, c'est parce qu'il avait la passion de la vie, passion qui nourrissait et permettait son dialogue avec la mort. La vie sous toutes ses formes. La vie dans ses heures sombres et ses heures glorieuses. La vie du terroir, la vie de nos campagnes, cette France rurale qu'il a tant aimée, presque charnellement.»

Ce soir-là, comme des millions de Français, Pierre Péan est devant son poste de télévision. Quand il entend le discours de Jacques Chirac, il ne peut s'empêcher d'être ému et de repenser aux dernières images qu'il garde de François Mitterrand, gravées à jamais dans sa mémoire. «Pour être franc, avant de le rencontrer, je n'appréciais pas Jacques Chirac, moi, le journaliste que l'on classait à gauche à l'époque. Mais deux événements vont changer mon regard sur lui. Le premier, c'est le discours qu'il prononce à la télévision le soir de la mort de François Mitterrand, un discours empreint d'émotion, de respect, qui démontre à quel point Jacques Chirac admirait Mitterrand. Et puis cela peut paraître étrange, mais un article du *Nouvel Obs* traitait Jacques Chirac d'escroc, là, je me suis dit qu'il fallait faire quelque chose[1].» Depuis cette date commence à germer l'idée d'un livre confession sur Jacques Chirac.

Ce grand fauve du journalisme a derrière lui plusieurs enquêtes retentissantes, la dernière a fait beaucoup de

---

1. Entretien de l'auteur avec Pierre Péan, janvier 2016.

bruit et d'immenses dégâts. Le 13 juillet 1994 sort *Une jeunesse française*, un livre choc. Les Français découvrent le passé vichyste de leur président. François Mitterrand a non seulement travaillé pour le régime de Vichy, mais a aussi reçu la francisque, la Légion d'honneur des pétainistes. En voulant décrire la trajectoire politique du président Mitterrand, Pierre Péan ouvre les plaies d'une période que les Français auraient voulu oublier. L'affaire de la francisque se transforme en scandale d'État, le livre dépasse son auteur. Ce brûlot, succès de librairie que personne ne conteste sur le fond, fait son entrée dans la bibliothèque de l'histoire.

La première rencontre avec le président Mitterrand, Pierre Péan s'en souvient dans les moindres détails : « Lorsque j'ai évoqué mon projet d'écrire un livre sur sa jeunesse, le président Mitterrand m'a répondu : "Oui, pourquoi pas ?" Dans sa bouche, cela voulait dire que j'avais deux rendez-vous pas plus. Alors j'ai décidé de laisser passer du temps. Au bout de quatre mois, Paulette Decraene, sa secrétaire particulière, m'a appelé, me demandant pourquoi je n'avais pas contacté le président. » Ensuite, cela ressemble à une partie d'échecs. Chaque coup doit être calculé et réfléchi. À chacune de leur rencontre, Pierre Péan apporte un document qui vient étayer son travail et apporter des preuves irréfutables. François Mitterrand s'avoue vaincu. « Vous en savez plus que moi sur ma jeunesse », confie-t-il à celui qui vient de percer le secret de sa vie. Échec et mat...

Quelques semaines après la sortie du livre, le président Mitterrand demande à rencontrer Péan : « Ce jour-là, je vois la mort en face de moi, je bloque, je n'y arrive pas. François Mitterrand a toute sa tête, mais son corps et son visage portent les stigmates de la mort, c'est effrayant. Nous échangeons longuement, c'est la seule fois où François Mitterrand brise la glace. Il me tient la main, me touche l'épaule, cherche un contact physique, il ne veut pas me quitter, me parle comme si nous n'allions jamais nous revoir[1]», se souvient Pierre Péan.

Onze ans plus tard, en 2005, après de longues négociations avec l'équipe du président, Jacques Chirac accepte de se livrer comme il ne l'a encore jamais fait, comme si, à travers lui et son enquête sans concession, le président Chirac voulait se hisser à la hauteur de celui qu'il a toujours admiré en se lançant le même défi périlleux: répondre aux questions de Pierre Péan. «Il a ouvert la porte de son bureau, m'a fait asseoir et m'a dit: "Monsieur Péan, vous aurez tout le temps que vous voudrez pour m'interroger", heureux de pouvoir dévoiler sa part d'ombre à cet homme qu'il connaît à peine et dont la réputation aurait pu le faire trembler. Nous voilà donc revenus une nouvelle fois à la source de tout, c'est peut-être parce qu'il admire Mitterrand – son ennemi qui d'ailleurs n'en fut pas un – que Chirac accepte de se livrer avec autant de liberté.»

Le journaliste marque une longue pause, essaie de relier mentalement les trajectoires des deux hommes, ce qui les unit au-delà des querelles politiques, au-delà de ce monde visible qui ne cherche qu'à diviser et à corrompre. Se tisse alors entre Jacques Chirac et Pierre Péan une histoire forte, des moments d'amitié qui n'étaient pas écrits à l'avance, tant leurs deux personnalités semblent différentes, en apparence. Mystérieusement, ces deux êtres se sont reconnus, par-delà les préjugés, les mots, les entourages,

---

1. *Ibid.*

un dialogue souterrain entre les deux hommes est né, à leur insu, comme une évidence : « Je fais partie de ceux qui ne critiqueront plus jamais Jacques Chirac parce qu'il a été avec moi d'une grande générosité, c'est un homme bon », dit Pierre Péan, énigmatique. À peine terminé son livre sur Chirac, il tombe gravement malade du cœur. « Jacques m'a fait hospitaliser en urgence au Val-de-Grâce, opérer en urgence pour de graves problèmes cardiaques. Juste à la sortie de mon opération, le téléphone a sonné dans ma chambre, c'était Chirac. Il venait prendre de mes nouvelles. Je lui ai demandé de me rappeler plus tard, car je n'étais pas en état. Cinq heures plus tard, lorsque je retrouve mes esprits, Jacques Chirac a essayé de me joindre dix-sept fois. Je n'en reviens toujours pas. Il est comme ça, Chirac... » Pierre Péan sourit en le disant.

Le président lui manque. Il aimerait bien le revoir, il le dit du bout des lèvres. Ce qu'il ne sait pas, c'est qu'à chaque fois que Jacques Chirac regarde le documentaire de Patrick Rotman qui relate sa carrière et dans lequel le journaliste apparaît, le président s'exclame devant Daniel : « Et Péan, comment va-t-il ? J'aimerais bien le revoir. » Se revoir pour prendre du bon temps, pour rire à pleines dents, pour se dire des choses insignifiantes, comme deux copains de régiment. Chirac aime ces moments, des morceaux de vie simples.

Pour comprendre cette rencontre, sa force et sa complicité, il faut remonter quelques années en arrière, bien avant que le président ne se penche au chevet de Pierre Péan. Pourquoi Jacques Chirac a-t-il accepté que ce grand fauve du journalisme vienne fouiller dans sa vie, si complexe, si cloisonnée, si tourmentée ? Pierre Péan lui-même se pose la question. Pourquoi Jacques Chirac lui a-t-il ouvert si grandes ses portes ? Le journaliste me fixe d'abord puis baisse la tête. « Je ne devrais pas vous le dire, mais savez-vous comment m'appelait Jacques Chirac ? Il m'appelait "maître". Il faisait preuve d'une extrême humilité à mon égard, très loin du personnage que les Français connaissaient. » « Maître », quel drôle de mot dans la bouche d'un président en exercice. « Maître », un titre de gloire rangé dans la boîte à souvenirs de l'écrivain pour le récompenser du défi qu'il avait relevé : dévoiler les secrets de François Mitterrand.

La suite de leurs entretiens ressemble à ces moments qui semblent hors du temps. Le président se livre, raconte, ne compte pas son temps, il tient promesse. Pierre Péan approche au plus près cet étrange animal politique, appréhende sa complexité, découvre ses passions loin du bruit politique et des vices qui l'accompagnent. Il regarde ses *mains*, ses longs doigts fins et élégants, des *mains* vives se projetant dans l'air comme des cerfs-volants fougueux, des *mains* qui empoignent des statuettes africaines venues du Nigéria. Avec cette façon, bien à lui, de vouloir transmettre son amour pour les arts primitifs.

Pierre Péan croit-il à ce prétendu pouvoir de guérisseur du président ? « Si je n'y crois pas, je ne suis néanmoins pas fermé à cette idée. Je viens du Gabon, vous imaginez là-bas ce que ce mot veut dire[1]. »

Reste à percer ce dernier mystère : pourquoi ces deux hommes se sont-ils reconnus et appréciés ? Au point de continuer à se voir après la sortie du livre, malgré son emploi du temps, malgré Bernadette et ses caprices et la cour présidentielle censée protéger le chef d'État. Soudain,

---

1. *Ibid.*

Pierre Péan, celui qui trouva le code secret du coffre-fort de François Mitterrand grâce à un minutieux travail d'historien, pose le masque : « Je suis sourcier, c'est-à-dire que je suis capable de trouver de l'eau. Mon père l'était. Un jour, je devais avoir dix ans, il m'emmène dans une zone où il savait qu'il y avait de l'eau, me taille une badine en bois et me fait marcher en ligne droite, baguette entre les mains. Et là, je la vois se tordre en direction de la source. J'avais moi-même ce don, je l'ai découvert gamin, sans jamais m'en servir. À l'époque, ça m'ennuyait un peu, parce que je ne voulais pas ressembler à mon père », explique Pierre Péan. Voilà peut-être pourquoi Jacques Chirac et Pierre Péan sont devenus si proches, presque amis, parce qu'ils parlaient le même langage, pas celui que l'on offre lors des réunions politiques, un langage invisible, proche du silence, quelque chose qui passe avec les mains, qui se transmet sans avoir à utiliser le moindre mot.

Jacques Chirac était, dit-on, le petit-fils d'un guérisseur, les « chasseurs de feu », comme on les appelle en Corrèze. Chirac aurait hérité de ce don, un pouvoir bien encombrant lorsqu'on se destine à devenir président de la République. Alors il n'en parle pas, le dissimule derrière le tumulte de sa vie et l'édifice de ses connaissances. Pierre Péan, le sourcier qui lui non plus n'en a jamais fait commerce, possède cet étrange pouvoir de sentir les énergies cachées. Les routes du sorcier de Corrèze et du sourcier de la campagne sarthoise étaient faites pour se croiser. Jamais Jacques Chirac, pourtant si pudique, ne se dévoilera autant qu'avec Pierre Péan.

Printemps 2016. Daniel marche sur le boulevard Saint-Germain, avec au bout de la laisse un yorkshire. Son westie est mort il y a quelques semaines, malgré les *mains* remplies d'énergie du président posées sur le corps de l'animal. Il part rejoindre, comme chaque après-midi, le président installé dans l'hôtel particulier des Pinault rue de Tournon.

Aujourd'hui, Daniel est pensif, pour ne pas dire préoccupé. En cause, les vacances du président, les dernières peut-être qu'il passe traditionnellement au Maroc dans l'un des palais du roi à Agadir. L'an passé, il y avait séjourné plus d'un mois. Son retour prévu fin août avait été décalé d'une quinzaine de jours, tant le président apprécie le lieu et le climat. Cette fois-ci, la famille est divisée, faut-il le laisser partir contre l'avis des médecins qui y sont formellement opposés ou bien faut-il envisager un séjour en France plus sûr ? C'est un choix difficile et une grosse responsabilité à prendre. La question n'est pas tranchée. Daniel traverse le boulevard Saint-Germain. Il repense à ce jour où Claude Chirac l'a appelé, lui expliquant qu'il était le seul capable de pouvoir aider son père. Ce n'est pas un médecin qu'elle cherchait, mais quelqu'un d'autre, un ami, un confident, un homme qui saurait partager le même humour, le même regard sur la vie, une manière de ne jamais se prendre au sérieux. Et Claude savait que Daniel avait ces qualités. Elle l'avait connu pendant la campagne présidentielle de 1988, qu'ils avaient organisée en coulisses, de quoi resserrer les liens. Alors Daniel a accepté sans trop savoir ce qui l'attendait. Il s'est mis à son service, avec un dévouement sans faille.

Il n'avait pas imaginé devenir le confident du président, partager des moments d'intimité avec cet homme qu'il admire tant, aujourd'hui vulnérable et fatigué. Daniel est un homme fataliste, qui se laisse guider par les événements. Il a avec Jacques Chirac une complicité hors du commun, il en est persuadé, quelque chose d'invisible que les mots sont incapables de décrypter.

Daniel est issu d'une famille de musiciens, un père chef d'orchestre et une mère pianiste, un monde très éloigné de la politique. Une amitié de lycée avec l'un des deux fils de Pierre Juillet qui le repère et le voilà tombé dans la marmite des gaullistes. Le mentor de Chirac va même jusqu'à lui payer le cours Pollés, une boîte à bac pour que Daniel décroche le précieux sésame. Diplôme qu'il finit par obtenir.

Un autre homme va marquer sa vie. Il s'agit d'un lointain cousin qui lui propose de l'initier au bouddhisme à travers la pratique du zazen, une technique méditative exigeante. Daniel a quatorze ans et se prend au jeu. Pendant quarante-cinq minutes, assis dans la position du lotus, il respire et inspire par le nez en se concentrant sur le hara, en fixant un point imaginaire afin d'atteindre son inconscient profond. Puis il faut marcher en expulsant son énergie, en poussant d'étranges râles gutturaux. Après cette marche, il faut à nouveau méditer pendant quarante-cinq minutes assis, les yeux ouverts, et lorsque Daniel se déconcentre, pliant légèrement le buste vers l'avant, le moine bouddhiste, muni d'une baguette de bois selon la tradition, le tapote derrière l'épaule pour l'obliger à se concentrer.

Cinquante ans plus tard, il a gardé du zazen sa technique de respiration qui à chaque moment difficile de sa vie lui permet de faire le vide et de retrouver de l'énergie. Et ces derniers temps, il a beaucoup respiré par le nez. Sans le savoir, cette technique l'a rapproché de Jacques Chirac qui lui aussi se passionna très tôt pour le bouddhisme.

C'est peut-être le zazen qui donne à Daniel cette force, celle d'être capable de rester de longues heures dans la chambre du président, sans échanger un mot. Personne ne peut imaginer ses face-à-face avec le président. De longs moments de silence, où Jacques Chirac attrape la main de Daniel pour sentir sa chaleur, pour se rassurer. Il y a quelques jours, le président l'a appelé «papa». Daniel a fait semblant de ne pas entendre. Ce n'est pas son fils qu'il veille, non! De ça aussi il en est persuadé. Entre Jacques Chirac et lui, c'est une histoire d'hommes, des hommes qui se sont beaucoup amusés avec la vie, une vie pas comme les autres faite de campagnes électorales, de ripailles, de réunions nocturnes, de palabres inutiles, de routes pluvieuses, de cigarettes fumées à la hâte et de verres d'alcool que l'on boit sans s'en rendre compte.

Ils sont comme deux frères d'armes, dont l'un est devenu général en chef. Parce qu'ils ont en partage cette personnalité mêlant la sensibilité et les blagues gauloises. Il sait comment faire rire le président. Il suffit de lui raconter une de ses histoires favorites. En passant devant la brasserie Lipp, un endroit où les hommes politiques aiment être vus, Daniel repense à ce qu'il a partagé avec le président. Il en rit encore...

Alors qu'il est assis près de son lit, Daniel regarde une statue de la Sainte Vierge en porcelaine qui trône sur un petit guéridon : «Président, c'est un miracle que cette vierge le soit encore dans votre chambre...»

Et Jacques Chirac de retrouver son rire, celui que Daniel aime tant. Seulement ces petits moments se font rares, de plus en plus rares.

La fin de vie du président est un long silence posé dans un grand vide. Un voile noir a recouvert sa vie, sa mémoire s'est enfuie pour ne jamais revenir. Malgré les efforts de Daniel pour la maintenir en éveil chaque jour, revient cette image bouleversante ce samedi 16 avril 2016 devant l'église Sainte-Clotilde, le jour de l'enterrement de Laurence, la fille du président, là même où, soixante ans auparavant, le 16 mars 1956, le jeune énarque épousait Bernadette Chodron de Courcel. Avant de «filer» pour l'Algérie.

Le décès de sa fille Laurence est annoncé publiquement le jeudi 14 avril. La cause officielle est un arrêt cardiaque.

Le dimanche 10 avril, elle est retrouvée sans connaissance dans son petit appartement de la rue de Montauban, dans le 15e arrondissement de Paris. Transférée à l'hôpital Necker, elle est prise en charge par une équipe du service de réanimation. En fait, Laurence a été victime d'un trouble de la déglutition qui a entraîné une détresse respiratoire. Laurence se serait étouffée en mangeant un morceau de pain avec du fromage. Un accident de la vie domestique qui se transforme en drame. Elle est transportée d'urgence à l'hôpital, les médecins la plongent dans le coma, mais les séquelles paraissent inéluctables. Sa mort est officielle quatre jours plus tard. Laurence Chirac avait cinquante-huit ans.

Daniel allume une cigarette en bifurquant vers la rue de Tournon. Au bout de la rue, le Sénat est comme une muraille scintillante. Ce samedi matin, devant l'église Sainte-Clotilde, il ne l'oubliera jamais. Cela devait être une cérémonie dans la plus stricte intimité, c'était le vœu de Bernadette et de Claude. Finalement, sans avoir été officiellement invités, s'avancent, sur le parvis de l'église, le milliardaire Bernard Arnault et son épouse; Thierry Breton, un proche des Chirac, est là aussi. Quelques photographes paparazzis ont fait le déplacement.

Daniel se revoit faire barrage de son corps lorsque le président descend de son véhicule en chaise roulante, pour empêcher les paparazzis de mitrailler la scène. Le visage de Bernadette est barré par de grosses lunettes qui cachent sa tristesse et ses larmes. La cérémonie dure une petite heure. Jacques Chirac est au premier rang aux côtés de son auxiliaire de vie. Plus loin, son épouse Bernadette, sa fille Claude avec son mari et son fils Martin. Des larmes coulent sur le visage de Jacques Chirac, brisé par la tristesse. En fin de matinée, Laurence est inhumée au cimetière de Montparnasse, dans la plus stricte intimité cette fois-ci.

Le président est de retour à son bureau. La nouvelle voiture qui peut maintenant transporter sa chaise roulante est garée dans la cour. Il a repris ses habitudes. Jacques Chirac a déjà oublié ce qu'il vient de vivre, ce qu'il vient de ressentir, parce que la maladie du président grignote sa mémoire vive, l'efface de son disque dur cérébral. Laurence, « le drame de sa vie », n'est plus de ce monde, mais Jacques Chirac ne le sait plus. Plus de tristesse, plus de larmes, pas de mélancolie, pas de deuil dans lequel s'enrouler, tout s'est effacé. Daniel regarde le président qui lui tend la *main*, comme deux vieux amis inséparables.

Voilà à quoi Daniel pense quand il ouvre la porte de la chambre du président. Il dort, allongé sur le dos, le visage paisible. Il projette sur le mur de son existence sa mort sans oser en parler, se prépare au pire, imagine la tempête médiatique qui va s'abattre sur le pays et au-delà lorsque les Français découvriront que leur président, le plus populaire de la Cinquième République, les aura quittés.

12

VIVRE ET LAISSER MOURIR

Avec la maladie, tout devient lent... d'une lenteur terrible, obsédante... Ce que l'on faisait en quelques minutes prend des heures. Enfiler une chaussette est périlleux! Et se lever, ou s'asseoir, ou négocier l'ascension d'un escalier... Alors, le temps se transforme, l'horizon se déplace, on se métamorphose en une créature grotesque.

FRANÇOIS NOURISSIER

L'hiver est doux... Pas un flocon de neige pour napper le boulevard Saint-Germain de cette pureté éphémère. À peine un léger frimas dilué, qui ondule sur les trottoirs des quais de Seine. Le palais d'Agadir mis à sa disposition par son ami le roi du Maroc, où Jacques Chirac aime se reposer, est bien loin. À l'été 2015, son séjour a duré plus d'un mois et demi. Attendu à Paris fin août, il n'est rentré qu'à la mi-septembre. Il n'y a plus d'urgence. Cette année, son entourage hésite à le laisser repartir. Ils ont peur, sans le dire, qu'il ne revienne pas de ce voyage qui n'est plus de son âge.

En ce mois de décembre 2015, le président a perdu son bronzage, ce teint hâlé qu'il a porté pendant toute sa carrière politique, qui lui donnait des allures de gravure de mode. Car Jacques Chirac est d'abord une silhouette. Il a toujours eu fière allure. Il est grand, bien proportionné, et subjuguait toutes les femmes qui l'approchaient. Il est un peu notre Kennedy à nous. Sa bonne santé, son appétit de la vie, sa vitalité constituent un baromètre rassurant pour les Français qui se projettent en lui et qui à travers lui s'imaginent que la France est en bonne santé.

Il donne des Français l'image d'un peuple solide et esthétique, capable de tout, provocateur, insolent parfois, à la fois simple et beau à regarder. Jacques Chirac a joué de cette image, l'usant jusqu'à la corde. Combien de photos le dévoilent torse nu ? Ici, allongé dans un transat sur une plage de l'île Maurice, son petit coin de paradis, là, bavardant avec sa fille sur une plage exotique, vêtu d'un simple boxer à rayures. Au fort de Brégançon, il se sent libre, presque trop. Debout sur son balcon, dans son plus simple appareil, il regarde aux jumelles le ballet des yachts et des somptueuses créatures qui s'y prélassent.

Ce jour-là, ce 4 août 2001, quatre journalistes en planque surprennent le manège[1]. Ils appuient sur le déclencheur et

---

1. Les photographes accepteront de ne pas vendre ces clichés mais, quelques semaines plus tard, *Paris Match* recevra les photos, que le magazine refusera de publier.

immortalisent cette scène pour le moins piquante. Jacques Chirac savait-il que des photographes le mitraillaient ?

***

Aujourd'hui, le soleil lui manque, la force aussi. Ses pas sont maintenant comptés, quelques mètres à peine, puis il faut l'asseoir sur son fauteuil ou dans sa chaise roulante parce que les crises de goutte continuent à le tourmenter. De violentes crises qui le terrassent parce que le président continue à boire, discrètement, quand tout le monde a le dos tourné ; parce qu'il continue à jouer l'enfant turbulent. Certains visiteurs de la rue de Lille se souviennent de l'avoir vu siroter un verre de gin pendant leurs échanges.

Son corps de quatre-vingt-cinq ans raconte ses excès, ses abus de nourriture, d'alcool et de tabac. Un corps qu'il a malmené. Il fut pourtant, pendant quarante ans de vie politique, son plus fidèle allié, sa vitrine qui lui a fait gagner toutes les élections. Parce que, chez Jacques Chirac, l'important n'était pas ce qu'il disait, mais ce qu'il dégageait, lui qui, comme un charmeur de serpents, donnait l'impression d'envoûter ses interlocuteurs. Il suffisait qu'il pose sa *main* ou enveloppe l'épaule de son interlocuteur pour qu'il se rallie ou s'adoucisse comme par magie.

Son corps semble avoir résisté à tous les assauts du temps, inoxydable. L'adepte du « *no sport* » possède une constitution physique hors du commun, avec cette capacité à encaisser le manque de sommeil, à enchaîner les repas, les plats, les verres d'alcool et les cigarettes qu'il a fumées sans compter jusqu'en juin 1988, les vols au long cours, les décalages horaires. Le corps est un atout majeur lorsque l'on veut faire de la politique au plus haut niveau, il doit plaire, résister et se soumettre aux contraintes du métier.

Même lorsqu'on le croit mort, il renaît de ses cendres. Comme ce jour glacial du 26 novembre 1978, où la CX Pallas de Jacques Chirac s'encastre dans un arbre d'une petite route de Corrèze. Une plaque de verglas à la sortie d'un virage l'a surpris. La voiture, déformée par le choc, est méconnaissable. Jacques Chirac est coincé dans la tôle. Après de longues minutes, on réussit enfin à l'extraire et on le transporte en urgence à l'hôpital Cochin à Paris, où il est opéré sur-le-champ. Gravement touché à la jambe, il doit passer plusieurs semaines sur une chaise roulante, autant dire qu'il est un lion en cage. L'événement est rendu public, c'est d'ailleurs le seul moment où l'on parlera de la santé de Jacques Chirac. Le «bulldozer» s'en sort et reprend sa vie à cent à l'heure comme si rien ne s'était passé. La santé de Jacques Chirac restera le secret le mieux gardé de la République.

Mais le 2 septembre 2005, à soixante-treize ans, la belle mécanique s'enraye, son corps lâche. Le président fait un AVC. Seuls trois communiqués seront publiés sur l'état de santé du président. L'un à la sortie du Val-de-Grâce où Jacques Chirac a été soigné, un deuxième un mois plus tard et le dernier huit mois après son accident cérébral, qui indique que tout est satisfaisant. Circulez, il n'y a rien à voir !

En fait, le président est un homme diminué et apparaît déconnecté ou hors jeu, notamment au moment de la crise des banlieues qui embrase plusieurs cités de Seine-Saint-Denis. Son corps ne répond plus, la statue en bronze vacille, «le bulldozer» est en panne, mais personne ne doit le savoir. Quelques années plus tard, Bruno Le Maire, qui fut le directeur de cabinet de Dominique de Villepin, raconte dans son livre *Des hommes d'État* que, le 20 décembre 2005, le Premier ministre lui aurait confié : « Le président, vous savez, il se bat pour la vie, c'est la seule chose, la vie. Tout le reste, le pouvoir, le gouvernement, les élections, le parti, ça ne l'intéresse plus. »

Autre scène, mais cette fois-ci, personne n'en a eu vent. Retraité de la République depuis six ans, Jacques Chirac doit subir en décembre 2013 une intervention chirurgicale lourde : l'ablation d'un rein, car depuis des années, il souffre d'insuffisance rénale. Reste à trouver le mode opératoire pour transporter en toute discrétion le président. Impossible de faire entrer une ambulance dans le porche étroit de l'immeuble du 3, quai Voltaire, là où habite le couple Chirac.

Trop visible, trop risqué. Alors Bernadette Chirac déniche un véhicule banalisé aux vitres teintées capable de transporter un fauteuil roulant, à l'abri des regards, vers l'hôpital où l'opération chirurgicale doit avoir lieu. Elle fait appel à un ancien collaborateur de l'Élysée. Il possède un véhicule de ce type qui servira pour cette mission secrète. L'intervention, délicate, se déroule parfaitement. Le président est sur pied très rapidement. Mais, dorénavant, il doit être extrêmement vigilant sur ce qu'il boit, ce qu'il mange, et refréner son appétit d'ogre. En est-il capable ?

Les soucis de santé du président racontent bien plus que ses excès, bien réels, ils soulignent le rapport qu'entretient Jacques Chirac au temps, à la vie terrestre. Vivre sainement, en choisissant ce que l'on pose dans son assiette et ce que l'on verse dans son verre, est une manière de repousser la mort le plus loin possible, de mettre toutes les chances de son côté. Jacques Chirac n'y pense jamais. Il remplit son assiette à ras bord, avale son verre cul sec, pas le temps de savourer, pas nécessaire. Il croque la vie par tous les bouts en donnant l'impression de ne jamais se soucier de l'avenir, de ne pas avoir envie de se projeter dans le futur, lui dont la fonction est justement de ne penser qu'à ça...

Jacques Chirac est un paradoxe permanent, porté par des forces contraires qui le maintiennent dans un équilibre précaire. D'un côté, il est dans cette frénésie de l'instant, comme s'il vivait chaque fois le dernier. De l'autre, il baigne dans la nostalgie des temps lointains, voyage dans des univers réservés à une poignée d'initiés.

En septembre 2002, dans l'avion qui le conduit en Afrique du Sud, à Johannesburg, qui accueille le Sommet de la Terre, là où le président prononcera cette phrase entrée dans l'histoire : « Notre maison brûle et nous regardons ailleurs », il explique à ceux qui l'accompagnent, parmi lesquels Nicolas Hulot et Denis Tillinac, que les hommes à la préhistoire devaient être bien plus heureux que ceux qui vivent dans le monde moderne, laissant sans voix ses interlocuteurs, sorte de nostalgie des premiers temps, du commencement, pensé comme une sorte de paradis perdu. Jacques Chirac n'a jamais fait attention à son corps parce qu'il ne vit pas réellement dans le présent, parce qu'il n'est pas habité par la vanité de la vie éternelle. Il est un homme de passage, fataliste comme le sont ses amis chinois, persuadés que l'existence humaine suit une trajectoire inéluctable. Alors il a vécu, sans réellement s'occuper de son corps, sauf quand ses organes vitaux se rappellent à son existence et tirent la sonnette d'alarme.

En avril 2008, le président, âgé de soixante-quinze ans, est de nouveau hospitalisé à la Pitié-Salpêtrière, pour des problèmes de cœur cette fois-ci. Une équipe de cardiologues lui implante un pacemaker. L'opération est bénigne et ne nécessite qu'une anesthésie locale. Après avoir incisé la clavicule, les chirurgiens introduisent un petit boîtier électronique afin de réguler les battements de son cœur. Jacques Chirac est reparti pour un tour...

***

Ce matin-là, les rayons du soleil peinent à percer dans la petite cour où les gardes du corps garent la voiture du président. L'unique arbre qui trône au milieu de ce carré bétonné ressemble à un vieillard décharné, ses branches pointent vers le ciel comme des badines sévères. Le monde s'endort devant ses yeux.

Les attentats de Paris ont tué cent trente personnes et blessé quatre cent cinquante autres, c'est l'attentat le plus meurtrier qu'a connu la France. Les images anxiogènes du massacre du Bataclan continuent à tourner en boucle sur toutes les chaînes de télévision. Ce 13 novembre 2015, la France, cette France qu'il n'a jamais voulu brusquer, est frappée en plein cœur. Le samedi 14 novembre, il entend le silence de la rue, un vide étrange, sorte de dépressurisation, comme un temps suspendu au-dessus de l'abîme. Les militaires, casques lourds et Famas à bout de bras, se déploient dans Paris, sa ville, celle qu'il a conquise et domptée. Le président sommeille dans sa chambre, aux prises avec sa propre guerre.

Les jours s'écoulent comme de fines gouttelettes. Le temps glisse inexorablement. Ses proches attendent les résultats de ses dernières analyses. Il faut aussi jongler avec Bernadette, qui a décidé de faire un double diagnostic en consultant un autre médecin, ce qui retarde un peu plus la prise de décision. Lors de son dernier passage à l'hôpital le

21 octobre, lorsque les médecins le sauvèrent une première fois de la mort, aucune information n'avait filtré. Le clan s'était muré dans le silence et, surtout, Bernadette avait tenu sa langue. Faut-il de nouveau hospitaliser le président ? Quinze jours plus tard, la décision est prise.

Le 9 décembre, dans la plus grande discrétion, le président repart à l'hôpital de la Pitié-Salpêtrière. Ce banal examen de santé se transforme en une sorte de frénésie médiatique. Jacques Chirac serait « mort », croit-on savoir. Après presque quinze jours d'hospitalisation et de repos dans sa chambre, Jacques Chirac, le pas toujours chancelant, regagne son domicile.

Combien de fois Jacques Chirac est-il mort ? Plusieurs fois, dans sa longue vie. « Mort » en 1978 dans sa voiture qui se fracasse contre un arbre et dont il sort vivant. « Mort » en politique en 1988, mais il a su renaître de ses cendres. « Mort » dans son cœur lorsqu'il doit rompre avec une femme qu'il aime. « Mort » ce 31 juillet 2016, la veille de son départ pour le Maroc, assassiné par un site internet qui fait courir le bruit ce jour-là que le président n'est plus de notre monde... « Mort » ce 21 septembre 2016, tué par les réseaux sociaux, encore eux. Ce jour-là, plusieurs tweets, dont celui de son ancienne ministre, Christine Boutin, annoncent sa disparition. Mais Jacques Chirac a ressuscité, une fois encore, comme si la vie s'accrochait à lui, qu'elle ne voulait pas le laisser partir. Dans un sursaut d'orgueil, il a redressé la tête, comme un geste ultime de survie. « Ne jamais rendre l'âme », lui dit une petite musique intérieure venue d'Afrique ou d'Asie.

Le reste, tout autour, ce grand cinéma, ne lui appartient plus. Internet ne laisse plus le temps à personne de s'allonger, plus le temps de réfléchir à sa propre existence, que vous êtes, pour cette communauté virtuelle, déjà mort et enterré.

On lui avait pourtant déconseillé de partir au Maroc. Mais le 1er août, ses proches et l'équipe médicale l'ont finalement laissé rejoindre Agadir, pour savourer le calme et la fraîcheur du palais du roi Mohammed VI. Il apprécie tant cet endroit. À l'occasion d'un bref aller-retour, fin août, pour accompagner Bernadette à Paris, Daniel a pu embrasser le président, peut-être pour la dernière fois.

Samedi 17 septembre en fin de soirée, alors que son séjour touche à sa fin, le président est pris d'un malaise. L'équipe médicale sur place décide de le rapatrier en France d'urgence nuitamment. Jacques Chirac est immédiatement transféré à l'hôpital de la Pitié-Salpêtrière. Il est atteint d'une infection pulmonaire, une maladie qui l'avait déjà cloué dans un lit d'hôpital quelques mois auparavant. Dès le lendemain, le 18 septembre, tout s'emballe et les chaînes de télévision, les radios, les réseaux sociaux ne parlent plus que de la santé de Jacques Chirac. Personne n'évoque sa mort encore mais, comme en décembre dernier, tous les médias sont persuadés que la famille leur cache quelque chose. Les rédactions ont ressorti les nécrologies des tiroirs, on s'affole pour savoir ce qu'il faut garder de la vie de Jacques Chirac... Les affaires ? La décision de ne pas participer à la guerre en Irak ? Faut-il s'intéresser à l'homme, à ses passions, les arts premiers, même si personne n'y comprend grand-chose ? Ou alors évoquer le bilan de ses mandats présidentiels, sa politique économique, mais laquelle ? Comment faire pour résumer une vie en moins de trois minutes ?

La machine médiatique tourne à plein régime. C'est un séisme dont l'épicentre fait trembler toute la France.

Chaque minute qui passe est un pas de plus vers la certitude de sa disparition. Devant l'hôpital, jour et nuit, une nuée de caméras et de journalistes du monde entier attendent et informent avec quelques bouts de ficelle. On croit savoir qu'il serait dans le coma, pris en charge dans un service de réanimation.

Les Français attendent, retiennent leur souffle pour celui qu'ils ont tant critiqué, lynché parfois, et qui aujourd'hui est devenu une sorte de figure tutélaire... La rumeur s'est transformée en un bruit de fond permanent, on ne parle plus que de la santé du président, au café, au bureau, à l'usine, en Corrèze, aux quatre coins du pays... Le mercredi 21 septembre, le couperet tombe. Jacques Chirac est mort. C'est en tout cas ce qu'affirment des réseaux sociaux. Une autre rumeur circule au même moment : la famille Chirac attendrait le retour du président François Hollande de New York pour débrancher le malade. Une information immédiatement démentie par l'Élysée.

Ce même jour, à dix-huit heures trente, l'Agence France-Presse annonce que Bernadette Chirac a été à son tour hospitalisée, épuisée par ces trois jours de folles rumeurs, anéantie de chagrin devant le corps de son mari inanimé et intubé. Seuls les membres de la famille ont pu voir le président derrière la vitre de sa chambre. Même Daniel n'a pu l'approcher parce que les médecins ont mis le président à l'isolement pour le protéger du monde extérieur. Jacques Chirac n'a maintenant plus aucune prise sur sa vie, on lui vole sa mort comme on lui a volé sa vie.

Jacques Chirac profita une dernière fois du luxe voluptueux du palais du roi du Maroc, François Mitterrand contempla de son palace égyptien le coucher de soleil sur le Nil, sur l'immense terrasse ombragée surplombant ce fleuve mythique. Ces deux présidents firent tous les deux, contre l'avis de leurs médecins, leur dernier voyage. La comparaison entre ces deux fins de vie s'arrête là.

François Mitterrand a été «le sujet de sa mort[1]», une mort sur laquelle il s'est penché une grande partie de sa vie, sur laquelle il a pu méditer. Lui qui croyait aux forces de l'esprit a choisi l'instant où il arrêterait de se battre, de se soigner, de s'alimenter, pour se laisser envelopper doucement par ce voile mystérieux, connu uniquement de ceux qui le traversent. Jacques Chirac n'a malheureusement pas ce privilège. Piégé par son corps qui l'abandonne au mauvais moment, par son cerveau qui ne se souvient plus de grand-chose. Lui qui toute sa vie noua un dialogue souterrain avec des forces venues de l'au-delà semble maintenant prisonnier de cet entre-deux, plus tout à fait dans la vie, mais pas totalement entré dans l'autre monde.

François Mitterrand évoquait Victor Hugo pour parler de la mort, il pensait qu'entre les vivants et les morts il y avait des passerelles, que ces deux univers communiquaient: «C'est que ceux qui partent ne s'éloignent point. Ils sont dans un monde de clarté, mais ils assistent, témoins attendris, à notre monde de ténèbres. Ils sont en haut et tout près[2].» Ce mercredi 21 septembre, Jacques Chirac n'est pas mort mais, dans l'esprit des Français, le président les a quittés. On imagine déjà ce dialogue entre les deux hommes, surplombant notre monde, qui toute leur vie ont scruté des signes venus du ciel, consulté les oracles de toute sorte, des êtres affamés par cette quête

1. Expression tirée du livre *Croire aux forces de l'esprit*, de Marie de Hennezel, Fayard Versilio, 2016.
2. Extrait du discours de Victor Hugo prononcé devant la tombe de la fiancée de son deuxième fils.

inépuisable de la recherche de soi, cherchant à percer le mystère de la vie, en appréhender l'insondable profondeur.

Dimanche 25 septembre, la tempête médiatique s'est légèrement calmée, le *Journal du dimanche* revient sur cette folle semaine où le 18 septembre Jacques Chirac a frôlé la mort. Bernadette a regagné son domicile. La vie a repris ses droits, comme on dit. Jacques Chirac est vivant au sens médical du terme. Son cœur bat, du sang circule dans ses veines, ses yeux sont ouverts, mais cette vie tourbillonnante tumultueuse, son humour, ses expressions mutines, son regard noir lorsqu'il jouait la colère se sont enfuis. Il ne reste plus qu'une forme, des contours et quelques fragments de vie qui luttent contre les ténèbres. « Les forces de l'esprit » ne l'ont pas abandonné, avec le peu d'énergie qui lui reste, il redresse la tête en picorant des instants de vie, comme un oiseau juste avant la grande migration.

13

« AVEC L'ÂGE, JE ME DÉCOUVRE UNE ÂME[1] »

Dans l'hôtel particulier de la rue de Tournon règne une étrange effervescence. La vie essaie de se frayer un chemin dans cette demeure qui ressemble de plus en plus à un sarcophage. Daniel pousse la porte, comme chaque après-midi ou presque, au moment où le soleil commence à descendre lentement, enveloppant cette rue bourgeoise d'une lumière grise. L'emploi du temps de Daniel s'est considérablement allégé. Ses journées auprès du président se sont réduites. Elles démarrent vers quinze heures et se terminent lorsque le président plonge dans le sommeil, tous les jours sauf le dimanche. Jacques Chirac est assis dans son fauteuil, un livre est posé devant lui, Sumette, son bichon, blottie contre lui.

---

1. *De l'âme : sept lettres à une amie*, de François Cheng, Grasset, 2016.

Le président a les yeux perdus dans des pensées indéchiffrables. Daniel regarde le matelas posé à quelques pas du lit sur lequel chaque nuit une aide médicale, sur le qui-vive, veille sur son malade. À quelques mètres de là, dans une autre chambre au rez-de-chaussée, il entend la voix de Claude au chevet de sa mère. Bernadette ne sort plus de sa chambre depuis plusieurs semaines, elle n'est plus que l'ombre d'elle-même. Sa fille ne la quitte plus. Elles qui ont traversé des orages, des tempêtes terribles, voguent maintenant sur une mer d'huile. Les journées sont longues et courtes à la fois, parce que Claude doit vérifier que les médicaments de son père et de sa mère ont bien été achetés, que le frigo est rempli pour permettre au maître de maison de préparer les repas, pour qu'il ne manque rien.

Daniel caresse le chien de Claude venu en éclaireur dans la chambre du président. De sa grosse voix de stentor, Daniel salue celui avec qui il vit depuis si longtemps, témoin impuissant de sa vieillesse. Il fait ronronner sa voix, emplissant de sons graves la pièce qui reprend doucement des couleurs. En tirant les rideaux en grand, Daniel lui donne des nouvelles de l'extérieur : la vie politique qui suit son cours, les affaires terroristes, les petites histoires du quotidien, les dernières nouvelles venues de son bureau de la rue de Lille, comme des fragments d'un temps révolu. Daniel parle, parle, sans jamais s'arrêter, monologue interminable et épuisant parce que Jacques Chirac n'a plus envie de faire l'effort, juste celui d'écouter, et encore.

Les réactions du président sont rares. Daniel prend le temps d'articuler chacun des mots qu'il prononce. Aujourd'hui, il va essayer d'évoquer avec lui les tensions au Moyen-Orient entre les sunnites et les chiites, l'un des sujets de prédilection de Jacques Chirac lorsqu'il était au pouvoir. Le président le fixe du regard, captivé, s'accrochant à chacune des syllabes comme si Daniel parlait une langue étrangère. Et lorsque son exposé est interrompu par l'aide médicale ou le maître de maison, Jacques Chirac demande à Daniel de reprendre là où il s'était arrêté.

C'est un chemin escarpé qu'emprunte Daniel. Jusqu'où Jacques Chirac est-il capable d'aller? À quel moment son cerveau perd-il le fil?

Il ne lui dit rien du camion de déménagement qui a embarqué une partie de ses archives et des objets, parce qu'il n'a pas la force de lui avouer qu'il ne reviendra plus au bureau. Jacques Chirac regarde Daniel tourner autour du lit. Le président l'écoute lorsqu'il lui parle des chiens. Jacques Chirac a toujours aimé les chiens et les animaux en général. Le président caresse Sumette, qui a levé la tête, il aime tellement cet animal; avec elle, il est en communion parce qu'avec son langage elle lui donne de l'amour et de la chaleur.

Sur le ton de la plaisanterie, Daniel lui raconte que le nouveau chien de Claude, mi-chien mi-loup, recouvert d'une toison noir corbeau, a failli mordre un passant sur la place Édouard-Herriot, comme si l'animal était le reflet des états d'âme de sa maîtresse. Depuis cet incident, il porte une muselière.

Daniel lui propose de l'installer sur son fauteuil. Jacques Chirac marque une pause, une très longue pause, une trop longue pause. Pour le distraire, Daniel lui raconte pour la énième fois sa contrepèterie préférée.

« Vous la connaissez, celle-là, président: "Couper les nouilles au sécateur"? »

Jacques Chirac fait semblant de réfléchir.

« Eh bien, c'est facile, ça donne: "Couper les couilles aux sénateurs"... »

Il enchaîne avec l'une de ses préférées :
« Président, "la berge du ravin", ça fait quoi ?
– Ça fait : "la verge du rabbin" ! »

Et les deux hommes partent dans un fou rire potache dont eux seuls ont le secret. Il rit si fort que Daniel se demande si Bernadette, alitée dans la chambre, n'entend pas leurs voix... Il se ravise, ici, dans cette belle demeure, les murs sont très épais.

Au mois de janvier 2017, pour la première fois, Bernadette n'a pas pu assister à la cérémonie de lancement de l'opération « Pièces jaunes », qu'elle n'aurait manquée pour rien au monde. Ce 4 janvier, plongée dans la pénombre, elle est restée dans sa chambre, faible et triste ne pas avoir pu partager cet événement qui lui tient tellement à cœur. Elle a regardé les reportages que les chaînes d'information ont consacrés à l'événement.

La silhouette de Claude se découpe dans l'ouverture de la porte de la chambre de son père. Dans cet hôtel particulier, la joie de vivre entre au compte-gouttes. Plus de visites mondaines, plus de moments inutiles, plus de personnalités étrangères, Bernadette et Jacques n'en ont plus la force. Il ne reste plus qu'un noyau dur autour des Chirac. Seuls les frères et sœurs de Bernadette sont autorisés à venir lui rendre visite. Pour l'occasion, on s'installe dans le grand salon, on bavarde en buvant un thé, on se raconte les mêmes histoires qui reviennent en boucle. Un homme, un seul, a encore le privilège de partager la chambre de Jacques Chirac. Il s'appelle Haïm Korsia, il est drôle, vif d'esprit, joyeux et amateur de bons mots, tout pour plaire à Jacques Chirac.

Le grand rabbin de France est accueilli comme un membre de la famille car la complicité qui unit Chirac et

Korsia est plus forte que tout. Depuis des années, les deux hommes conversent, approfondissent leurs pensées pour mieux se frotter au grand mystère de la vie. C'est à la fois sérieux et léger. Ils ont en partage cette volonté de faire dialoguer les cultures et les religions, de combattre l'obscurantisme. Ils aiment aussi se pencher sur le désordre du monde, en dissertant des heures durant de géopolitique, imaginant, le temps d'une rencontre ou d'un déjeuner, la planète dont ils rêvent. « C'est mon gourou », dit-il à Jean de Boishue en parlant de Haïm Korsia, il y a vingt ans, le jour où ils se recueillent ensemble sur la tombe de Vladimir Belanovitch.

Qui est cet homme au juste ? Est-il devenu au fil du temps le directeur de conscience de Jacques Chirac ? Qu'ont-ils appris l'un de l'autre ? Des questions sans réponses parce que Haïm Korsia n'a jamais rien dit des moments uniques qu'il vivait avec son ami Chirac. Un silence pour sceller sa fidélité et son respect.

Daniel entend la voix de Bernadette qui commente un programme télévisé. Jacques regarde au loin, vers le jardin, son regard bute sur un mur, il aimerait pouvoir le traverser, rejoindre la rue et ses passants, respirer les odeurs de la ville qui bouillonne à quelques mètres de lui.

Aujourd'hui, la vieillesse réunit Bernadette et Jacques bien malgré eux. Plus personne ne peut fuir. Les voilà tous les deux prisonniers, unis à la vie à la mort. Combien de fois, lorsqu'il était au pouvoir, ses proches, ses amis ne l'ont-ils entendu prononcer cette phrase, prenant un air las : « Nous n'avons pas, mon épouse et moi, le même rapport au temps », une manière plus ou moins élégante de dire à quel point elle et lui étaient si différents, ne vivaient pas au même rythme. Aujourd'hui, ils marchent au même rythme et dans le même sens...

Parfois, alors que chacun vit de son côté, même si ce n'est qu'à quelques mètres l'un de l'autre, le couple se retrouve pour partager quelques instants. Bernadette s'assoit près du lit de son mari, le visage renfrogné, la tête dans les épaules. Jacques la regarde d'une manière bizarre, comme s'il voyait une étrangère. Les silences sont pesants ; alors pour détendre l'atmosphère, Daniel, qui connaît si bien le couple, s'amuse, brise les tabous, parce qu'il y a prescription, parce qu'il se sent libéré des contraintes qu'imposaient jadis les bienséances du pouvoir.

« Chère Bernadette, il faut bien le dire, votre mari qui a toujours fait croire qu'il était un grand skieur n'a jamais été capable de monter sur les planches, juste bon à faire quelques marches dans la neige ! »

Le visage de Bernadette s'éclaire soudain et elle part d'un rire franc et sonore, c'est tellement drôle de se moquer de celui à qui elle a tout donné, elle qui fut si longtemps dans son ombre.

Claude entre alors dans la chambre et regarde sa mère, émue de la voir revivre devant ses yeux car ces moments de joie sont si rares. L'entendre, pour Claude, est un cadeau que l'on n'attendait plus.

Sans que personne ne le sache, dès le mois d'août, alors qu'elle est en vacances à Agadir, Bernadette s'est murée dans le silence, enveloppée dans une tristesse qui doucement lui fait perdre le goût de la vie. En avril, après la mort de sa fille Laurence, elle a continué comme si de rien n'était ou presque. Au Maroc, la voilà seule face à elle-même, avec comme uniques compagnons le chuintement des vagues sur le sable et le cri strident des mouettes.

Le 9 septembre, elle quitte sa retraite marocaine pour rejoindre Nice. C'est une femme affaiblie, le visage barré par une grosse paire de lunettes de soleil, qui remet le prix Claude-Pompidou qui récompense chaque année les recherches sur la maladie d'Alzheimer. Elle en profite pour parler de son mari, pour lui dire, après ces soixante et une années de vie commune souvent houleuse, combien elle l'admire : « C'est un homme extraordinaire qui a eu une réussite exemplaire, qui a fait tellement de choses, pour tellement de gens, qui a réalisé tant de projets[1]... » On l'interroge comme à chaque fois sur l'état de santé de son époux. Elle se prête au jeu, raconte, évasive, ses navettes en voiture électrique entre la plage et la résidence du roi. Ce jour-là, elle ne se contente pas de dire les banalités qu'elle sert à chaque fois qu'on lui pose la question, elle va plus loin, au-delà de la simple description, peut-être parce qu'elle n'est plus la femme qu'elle était il y a encore quelques mois, qu'elle sent la mort rôder autour d'eux : « Il est apaisé, moi aussi, dit-elle, mais je suis toujours inquiète du jour où il va disparaître. » Cette phrase sonne comme une prémonition.

Quelques jours plus tard, tout se précipite, dans la nuit du 18 septembre, alors que les vacances du couple se terminent, Jacques Chirac est rapatrié en urgence pour de graves problèmes pulmonaires.

Alors que Jacques Chirac renaît de ses cendres, Bernadette plonge dans une terrible dépression. Le 18 octobre, elle est hospitalisée à son tour pour une grave infection pulmonaire, comme si jusqu'au bout elle voulait tout partager avec son mari.

---

1. Interview de Bernadette Chirac dans *Nice-Matin*, 10 septembre 2016.

Au mois d'octobre, le couple Chirac va mal. Bernadette n'est plus que l'ombre d'elle-même. Les Français la découvrent dans un documentaire réalisé par son ami Anne Barrère. Elle est assise dans un jardin ensoleillé. Elle est vive, presque joyeuse[1]. Devant les caméras, dans un style bien à elle, elle fait tournoyer ses mains pour raconter ce que tout le monde savait et qu'elle n'avait jamais voulu reconnaître : « Les papillons tournaient autour de la lampe. J'en ai eu, des inquiétudes, et du chagrin même. »

Son amie la relance une nouvelle fois sur la frivolité de son mari : « Au début, j'ai eu du chagrin, et puis après, je m'y suis faite. Je me suis dit que c'était la règle et qu'il fallait la subir. »

Bernadette reconnaît avoir été une femme trompée toute sa vie. Elle l'a vécu comme un sacerdoce, fermant les yeux, serrant les dents, ravalant sa colère, cachant son chagrin derrière le masque de la sévérité, faisant lors de cet entretien cet aveu, qui donne un sens à son chemin de croix : « J'aurais pu faire la même chose, mais je ne l'ai pas fait... Il faut dire la vérité, j'étais quand même très amoureuse de mon mari. »

Depuis la mort de sa fille, c'est tout cela qui est remonté à la surface, c'est toute sa vie qui lui saute au visage. Ce jour-là, dans la chambre de Jacques Chirac, les rires de Bernadette sont comme des rayons de soleil qui viennent réchauffer cette maison refroidie par la solitude et l'inexorable vieillesse. Officiellement, Jacques Chirac va bien et Bernadette se remet doucement de ses soucis de santé, des informations qui ne sont que des sons lointains, édulcorés

---

1. *Bernadette Chirac, mémoires d'une femme libre*, documentaire réalisé par Anne Barrère, diffusé le 15 octobre 2016 sur France 2.

et déformés, passés au tamis de la censure. Jacques Chirac est devenu un être inaccessible, perdu dans ses pensées. Il ne reste plus que Daniel et Claude pour lui tenir la main, et sa chienne Sumette pour le réchauffer.

À l'extérieur, ses amis continuent à penser à lui, imaginent le pire, se préparent à l'après, quand Jacques Chirac ne sera plus de ce monde, sculptant, par procuration, le destin de celui qu'ils admirent.

Depuis l'été, en toute discrétion, ses fidèles, parmi lesquels son ancien Premier ministre Jean-Pierre Raffarin, Thierry Breton, qui fut son ministre de l'Économie, François Pinault, Bernard Accoyer, son gendre Frédéric Salat-Baroux et quelques autres peaufinent les arguments qui doivent servir à rédiger le dossier de candidature pour le prix Nobel de la paix. Ils voudraient faire résonner sa voix dans ce monde en furie, celle d'un homme de paix qui toute sa vie tenta de faire dialoguer les cultures.

Pendant sa carrière politique, Jacques Chirac a semé des petits cailloux dont certains, sur le moment, n'étaient pas visibles à l'œil nu. En s'engageant contre le réchauffement climatique, en tendant la main aux personnes handicapées, en s'opposant à la guerre en Irak, en créant en 2008 sa fondation baptisée Agir au service de la paix, il a montré le chemin sur lequel il fallait avancer. Mais il a aussi brouillé les pistes car rien n'est jamais linéaire chez Jacques Chirac, son équilibre n'existe que par la présence de forces contraires qui en s'opposant maintiennent l'édifice.

Lui qui fut un combattant fougueux en Algérie, un « fana mili » posé sur son piton, captivé par la guerre, devient, soixante ans plus tard, l'un des prétendants au prix Nobel de la paix. Quel troublant destin...

Soixante ans de cheminement intérieur, de tâton-
nements, pour revenir au point de départ, à l'endroit
où sa conscience s'est forgée : dans les allées du musée
Guimet, là où pendant des heures l'adolescent admirait
des œuvres asiatiques, découvrait des civilisations majes-
tueuses, scrutant, sur les linteaux et les frontons des
temples khmers, l'affrontement des dieux gracieux et des
titans, cherchant à déchiffrer le sourire énigmatique des
somptueux bodhisattvas. Dans ce musée, seul au monde,
il voyageait en compagnie d'Alexandre, marchait par
la pensée sur la route de la soie, il rêvait d'une vie qu'il
n'aurait jamais.

Dans sa chambre vide, Jacques Chirac est sur le seuil
d'une autre vie, et toutes ces civilisations englouties,
décimées, tous ces artistes chinois, africains, japonais,
viennent lui rendre une dernière visite. Une foule immense
et invisible danse autour de son lit, des esprits qui viennent
embrasser son âme, pour lui donner la force de traverser
le miroir.

REMERCIEMENTS

J e voudrais remercier toutes celles et tous ceux qui
ont pris sur leur temps pour me parler de Jacques
Chirac. Beaucoup à travers nos échanges ont cheminé
intérieurement pour repartir, avec nostalgie, avec joie,
avec tristesse, à la rencontre de cet homme qu'ils aiment
ou qu'ils ont aimé. J'espère avoir été à la hauteur de leurs
témoignages. Béatrice de Andia, Eunice Barber, François
Baroin, Pierre Bédier, Françoise Béziat, Nicolas de Boishue,
Pierre Charon, Michèle Cotta, Bernard Courant, Jean-Louis
Debré, Christian Deydier, Anne Kerchache, Jean-François
Lamour, Anne Lauvergeon, Jean-Claude Lhomond, Marie-
Anne Montchamp, Françoise de Panafieu, Pierre Péan,
Hugues Renson, François Rochebloine, Frédéric de Saint-
Sernin, Henri Salvand, Jacques Toubon.

Je tiens à remercier également Jean de Boishue
de m'avoir fait voyager dans l'univers de Vladimir
Belanovitch, Denis Tillinac qui connaît si bien son ami
corrézien, Alain-Gérard Slama pour son œil aiguisé et sa
bienveillance, l'ambassadeur Jean-Marc de La Sablière de

m'avoir méticuleusement éclairé sur la politique étrangère de Jacques Chirac.

Je ne voudrais surtout pas oublier Delphine, ma compagne, qui a partagé mes angoisses et fut d'un appui déterminant dans la construction de ce projet.

Enfin, je remercie Philippe Héraclès pour la confiance qu'il m'a accordée et Ariane Molkhou pour ses précieuses remarques.

BIBLIOGRAPHIE

Ouvrages sur lesquels je me suis appuyé pour écrire ce livre :

Chaque pas doit être un but – *Mémoires de Jacques Chirac* (tomes I et II), avec Jean-Luc Barré, Nils Éditions, 2009.

Avec Chirac, de Philippe Bas, L'Archipel, 2012.

Si la gauche savait, livre d'entretien de Georges-Marc Benamou avec Michel Rocard, Robert Laffont, 2010.

Conversation, de Bernadette Chirac avec Patrick de Carolis, Plon, 2001.

Histoire secrète de la droite, d'Éric Branca et Arnaud Folch, Plon, 2008.

Sexus Politicus, de Christophe Deloire et Christophe Dubois, Albin Michel, 2006.

Les Mots du président – *Mitterrand le cynique*, de David Genzel, François Bourin, 2005.

Chirac, une vie, de Franz-Olivier Giesbert, Flammarion, 2016.

La Tragédie du président – *Scènes de la vie politique 1986-2006*, de Franz-Olivier Giesbert, Flammarion, 2006.

Les Chirac: les secrets du clan, de Béatrice Gurrey, Robert Laffont, 2015.

Le Président aux cinq visages, de Xavier Panon, L'Archipel, 2012.

Chirac, l'inconnu de l'Élysée, de Pierre Péan, Fayard, 2007.

L'Élysée, histoire d'un palais, de Georges Poisson, Pygmalion, département de Flammarion, 2010.

L'homme qui ne s'aimait pas, d'Éric Zemmour, Balland, 2002.

L'Autre, d'Éric Zemmour, Denoël, 2004.

Revue *Charles,* n° 12: «Jacques Chirac 50 ans de vie politique».

Revue *L'Histoire,* hors-série «Le cas Chirac», entretien réalisé par Jean-Luc Barré, mars 2016.

Cet ouvrage a été achevé d'imprimer sur Roto-Page
par l'Imprimerie Floch à Mayenne en octobre 2017
Dépôt légal : octobre 2017
N° d'édition : 5018 – N° d'impression : 91716
ISBN 978-2-7491-5018-5
Imprimé en France